D0433506

COLLECTION
FOLIO/THÉÂTRE

Molière

Les Précieuses ridicules

Édition présentée, établie et annotée
par Jacques Chupeau
Maître de conférences à l'Université de Tours

Gallimard

PRÉFACE

Donnons raison au jeune public des matinées scolaires que le spectacle des Précieuses ridicules *met en joie : ce n'est pas être infidèle à Molière que de se laisser « aller de bonne foi aux choses qui nous prennent par les entrailles » sans chercher de raisonnements pour s'«empêcher d'avoir du plaisir »* (La Critique de l'École des femmes, *sc. VI*). *Nul besoin de savantes leçons sur la comédie classique et la préciosité pour se laisser emporter par la force comique d'une pièce qui est d'abord une brillante « machine à rire »* (Bernadette Rey-Flaud) *dont la réussite, faut-il le rappeler, est avant tout d'ordre théâtral. Des deux mots qui composent le titre, l'épithète* ridicules *n'a pas moins d'importance que le nom auquel elle s'applique. Comme* L'Héritier ridicule *de Scarron (1650) ou* L'Amant ridicule *de Boisrobert (1655), la pièce de Molière apporte la promesse du rire.*

Aux spectateurs de 1659, elle laissait espérer un plaisir d'autant plus vif que le comique, centré sur un ridicule moderne, prenait appui sur l'actualité. Mais le piquant de la satire, s'il a puissamment contribué au succès du spectacle en son temps, ne saurait expliquer la fortune d'une pièce qui n'a cessé de séduire par sa gaieté. Rien de plus fragile en effet que la satire d'une mode par nature éphémère, rien de plus volatil que la saveur de l'allusion. Sur ces agréments fugaces, quelques contemporains de Molière ont fondé de belles réus-

sites de théâtre : qui se souvient aujourd'hui de La Devine-
resse *de Donneau de Visé et de Thomas Corneille (1679), du*
Mercure galant *(1683) ou des* Mots à la mode *(1694) de*
Boursault *?*

    Le comique des Précieuses ridicules *avait des assises plus
solides. Encore convient-il, pour en apprécier avec exactitude
les qualités, d'éviter de prêter à un petit divertissement destiné à accompagner la représentation d'une grande pièce en
cinq actes des ambitions trop hautes. Pour Molière et ses
contemporains,* Les Précieuses ridicules *étaient et resteront
une « petite comédie ». Cette expression, qui renvoie à une hiérarchie des formes dramatiques, ne signifie pas que la pièce soit
méprisable : elle en éclaire seulement la conception, qui dérive
très directement de la farce.*

Une fête du théâtre

    *Conformément à la tradition du genre, l'action se fonde sur
un schéma comique élémentaire : la supercherie du déguisement, qui met la tromperie au service de la vengeance, punit
la prétention des précieuses, comme les coups de bâton et le
déshabillage final rappellent les deux valets à la réalité de leur
condition. La leçon pourrait sembler cruelle si les personnages
étaient de nature à inspirer la moindre compassion. Mais les
acteurs de la farce sont des figures stylisées dont les traits
accentués ne laissent jamais oublier que le spectacle relève de
l'univers fictif du jeu. Si la hauteur de ton des galants éconduits se maintient dans les limites du naturel, le français écorché de Marotte, la trivialité et la rudesse du « vieux gaulois »
Gorgibus, les grimaces des façonnières, les extravagances de
Mascarille et les bouffonneries de Jodelet font jaillir le rire de la
vigueur des contrastes, de la gesticulation et de la charge.*

    *En donnant aux personnages des noms qui désignent un
type (Gorgibus), un acteur vedette (Mascarille, Jodelet) ou, de*

*manière directe ou allusive, l'interprète du rôle (La Grange,
Du Croisy, Cathos, Magdelon, Marotte), la farce transforme le
spectacle en fête du théâtre, sinon en « comédie des comédiens », et porte au premier plan le plaisir du jeu. Au centre de
la pièce, Mascarille et Jodelet, comme Magdelon et Cathos,
jouent la comédie du bel air avec une emphase burlesque. Les
premiers ont endossé avec jubilation un déguisement qui
comble leur désir de revanche sociale en leur permettant de goû-
ter, fût-ce par un simulacre, aux délices de la grandeur; les
secondes donnent la comédie sans le savoir en s'appliquant à
jouer un rôle qui excède leurs capacités. Trop sottes pour entrer
dans l'intelligence d'un idéal mondain raffiné qui échappe à
leur prise, les précieuses font éclater avec une réjouissante naïveté le ridicule de la prétention, alors que Mascarille, aidé de
son compère Jodelet, nous entraîne dans une sorte de carnaval
allègre qui assure le triomphe provisoire du masque et de la
pantomime.*

Mais le Mascarille des Précieuses ridicules *n'est plus le
maître de la ruse, le « fourbum imperator » qui, dans
L'Étourdi, menait le jeu avec ce talent souverain que l'on
retrouvera plus tard chez Sbrigani et Scapin. De la comédie d'intrigue à la farce, le valet est devenu l'instrument
d'une « pièce » imaginée par son maître et, s'il s'épanouit dans
le rôle du bel esprit, c'est moins pour le plaisir de tromper que
parce qu'il trouve l'occasion de jouir, sous le déguisement,
d'une illusion flatteuse. Ce grotesque qui épouse son rôle et
s'abuse sur lui-même a rompu avec la lignée des fourbes pour
rejoindre la famille des « visionnaires ». La distance se réduit
du même coup entre le faux marquis et les fausses précieuses.
Tous sont habités par un rêve de distinction qui leur fait
perdre le contact avec la réalité et les entraîne au royaume des
chimères.*

*Avant de conduire à la plus cuisante des humiliations, la
mystification crée l'enchantement. Il suffit de l'arrivée fracassante de Mascarille pour que la salle basse de la bourgeoise*

maison de Gorgibus devienne le théâtre d'une magnifique illu-sion : moment magique où l'imaginaire et le réel se rejoignent, dans un climat d'euphorie qui pousse les prétendants au bel air à se livrer avec ivresse à la parade et à la surenchère ver-bale. À cette comédie du paraître, Mascarille et Jodelet appor-tent une note d'humour que ni Magdelon ni Cathos, dans leur extrême naïveté, ne peuvent percevoir. Mais le comique de la supercherie importe moins que la révélation réjouissante d'un désir outré de délicatesse, d'élégance et d'esprit qui tranche avec le plat prosaïsme de Gorgibus et fait triompher sur la scène, au-delà de toute vraisemblance, le ridicule de l'af-fectation.

En se transformant en comédie de l'illusion, la farce gagnait une profondeur nouvelle, tout en restant fidèle à un style comique vigoureusement caricatural ; Sganarelle ou le Cocu imaginaire *prolongera cette piste. Mais c'est une autre inno-vation qui a conquis le public. Contrairement à* La Jalousie du Barbouillé *et au* Médecin volant, *qui situaient le jeu comique dans un espace indéterminé, cadre fictif du pur plaisir théâtral, l'action des* Précieuses ridicules *se déroule à Paris, dans un décor familier et contemporain. Les personnages ont cessé d'être de purs masques de théâtre : sous la simplification du type se décèlent des traits de caractère qui donnent aux rôles une consistance nouvelle ; se dévoilent surtout des ridicules qui sont ceux de la société du temps. De multiples références au pré-sent achèvent de donner au comique une couleur résolument moderne. Les allusions aux campagnes militaires de l'Artois et des Flandres, à l'usage récent des chaises à porteurs, au mercier en renom, le fameux Perdrigeon, au jeu emphatique des comé-diens de l'Hôtel de Bourgogne, au dernier cri en matière de mode, au succès du recueil de* Poésies choisies *publié par le libraire Charles de Sercy, à la vogue des madrigaux et des por-traits ou au succès retentissant de* Clélie, *tous ces traits ont eu, en leur temps, le piquant de l'actualité : ils ont gardé le pouvoir de mettre la pièce en prise avec le réel. La farce, dans* Les Précieuses ridicules, *ne se borne plus à reproduire ses vieilles conventions. Au contact de la vie et des usages contemporains, elle invite à rire de la déraison du monde et livre la parodie de ses extravagances, en concentrant la moquerie sur deux figures caractéristiques du snobisme mondain, la précieuse et le bel esprit, dont la littérature satirique avait déjà fait son gibier. Le thème de la préciosité était dans l'air du temps : en raillant la prétention au bel air, Molière s'emparait d'un sujet propre à piquer la curiosité du public*[1]. *Si son intervention fut jugée décisive par ses contemporains, c'est en raison du relief singulier que la scène apportait à la satire d'une mode dont* Les Précieuses ridicules *révélèrent avec éclat la théâtralité et les ressources comiques. Le public a ri : non pas parce que la peinture était vraie, mais parce que la moquerie touchait juste, et frappait fort.*

Les leçons de la satire

Autour d'une norme incarnée par La Grange et Du Croisy, les maîtres du jeu, qui échappent au ridicule, la comédie oppose la rusticité du bourgeois Gorgibus, fermé aux raffinements de l'élégance mondaine, et l'excès de délicatesse des précieuses et du bel esprit, qui portent la recherche de distinction jusqu'à l'absurde. Comme le Sganarelle du Cocu imaginaire *et de* L'École des maris, *comme Harpagon dans* L'Avare, *Gorgibus est un homme du passé, attaché à des usages périmés, coupé de la politesse et de la galanterie. Mlle Desjardins, dans son* Récit en vers et en prose de la farce des précieuses, *a traduit de manière plaisante l'effet produit par le personnage sur la scène parisienne : «Imaginez-vous donc,*

---

1. Sur le thème de la préciosité, voir plus particulièrement la notice, p. 88 et suiv., ainsi que « L'idiome précieux » et son répertoire, p. 146.

*Madame, que vous voyez un vieillard vêtu comme les paladins
français et poli comme un habitant de la Gaule celtique. » Par
son costume d'un autre âge et ses manières frustes, Gorgibus
introduit dans la comédie le ridicule de l'archaïsme, image
caricaturale du bourgeois obstinément attaché à des traditions
vieillies et qui, par son hostilité résolue à l'évolution des
mœurs et au mouvement de la mode, s'exclut du monde poli
des honnêtes gens. Par un excès inverse, la passion de l'élégance, de la nouveauté et du dernier cri conduit Mascarille,
Magdelon et Cathos à renchérir sur les modes, qu'il s'agisse du
vêtement ou du langage, jusqu'à ce point extrême où le désir de
distinction verse dans la singularité et l'extravagance. La
Bruyère, dans ses* Caractères, *rappellera qu'« il y a autant de
faiblesse à fuir la mode qu'à l'affecter » (« De la mode »,
remarque 11). C'est le point de vue que Molière a présenté, par
le truchement d'Ariste, dans la scène d'exposition de* L'École
des maris :*

Toujours au plus grand nombre on doit s'accommoder,
Et jamais il ne faut se faire regarder.
L'un et l'autre excès choque, et tout homme bien sage
Doit faire des habits ainsi que du langage,
N'y rien trop affecter, et sans empressement
Suivre ce que l'usage y fait de changement.

Sur ce double excès, Les Précieuses ridicules *font peser la
sanction du rire.*

*On se gardera donc de faire de Gorgibus, cet « antipode »
grotesque de la galanterie, l'interprète de la raison. Trop éloigné de la politesse pour faire figure de sage, le personnage
s'inscrit dans la tradition comique du tyran égoïste, et sa
rudesse a surtout pour effet de faire ressortir, par contraste, les
aspirations chimériques des précieuses. Le ridicule de Gorgibus
toutefois, comme celui de Marotte, parce qu'il prend sa source
dans la condition du personnage et non dans l'extravagance*

de ses visions, n'est pas totalement coupé du bon sens. *Quand Gorgibus considère* que sa fille et sa nièce sont «folles» et que leur langage relève du «jargon» et du «baragouin» (sc. IV), quand Marotte demande à sa maîtresse de «parler chrétien» si elle veut se faire entendre (sc. VI), ils font rire par la brusquerie de l'expression, qui ignore les tempéraments de la politesse, mais leur propos traduit avec une franchise amusante une saine et robuste vérité. Plus plaisant que ridicule, le francparler bourgeois ou populaire exprime une exigence de naturel qui met en accusation le vice essentiel des précieuses et des beaux esprits : l'affectation et la grimace.

Libre au lecteur d'admettre, sur la foi de la Préface, que les extravagances de deux valets déguisés et de deux «pecques provinciales» ne sont pas de nature à déconsidérer les figures élégantes qui, sur la scène du monde, font briller les agréments du bel air. Mais s'il est clair que les pitreries du faux marquis et du faux vicomte comme les façons des deux «donzelles ridicules» (sc. I) donnent un plein éclat au comique de la contrefaçon et de la prétention déplacée, le rire qui jaillit de la caricature ne laisse pas indemne le modèle parodié. À preuve la descendance théâtrale de ces pantins grotesques : les bouffonneries de Mascarille sont le reflet grossi de travers mondains que Molière ne cessera de railler, jusqu'au Misanthrope, à travers les figures des «petits marquis», et, dans le sillage de Cathos et de Magdelon, d'autres «façonnières» viendront rappeler que la préciosité — aristocratique ou bourgeoise, parisienne ou provinciale — expose au ridicule de l'affectation et de l'artifice.

Observons toutefois que le procès de la préciosité ridicule n'implique nullement le rejet de cet idéal de politesse, de distinction et d'enjouement que résume la notion de galanterie. L'air précieux ne se confond pas avec l'air galant, sauf à perdre de vue l'essence du goût mondain, cette alliance subtile de bonne grâce, de gaieté, de naturel et d'esprit qui exclut l'affectation, la lourdeur et la sottise. Pendant plus de vingt ans, *la société choisie de l'Hôtel de Rambouillet avait offert de cet idéal raffiné la plus brillante illustration. Mlle de Scudéry, qui fréquenta cette compagnie distinguée, en goûta les agréments et la fine élégance. Elle en tira aussi les leçons, et ses romans contribuèrent à répandre dans un large public les modèles et les maximes du goût mondain le plus délicat.*

Dans les années qui ont suivi la Fronde, alors que l'Hôtel de Rambouillet a cessé d'être « le théâtre de tous les divertissements, le rendez-vous de tout ce qu'il y avait de plus galant à la cour et de plus poli parmi les beaux esprits » (Tallemant des Réaux), l'esprit galant trouva, sous l'impulsion de l'« illustre Sapho », une vitalité nouvelle, et sans doute aussi un caractère plus apprêté. Moins aristocratiques que les rencontres de la chambre bleue, les réunions qui se tenaient le samedi, rue de Beauce, autour de Mlle de Scudéry, accordent une part plus importante aux lettres et aux bagatelles rimées, au risque de transformer le salon mondain en coterie littéraire ; on y cultive le bel esprit, non sans quelque pose ; on y applaudit un peu trop des madrigaux et des impromptus qui trahissent le goût du futile ; on y raffine surtout sur les délicatesses du Tendre, sans que l'humour du badinage préserve toujours ces jeux d'esprit de la fadeur ou de l'excès de subtilité. Bien que la romancière ait marqué avec la plus grande netteté ses distances par rapport à l'affectation, aux manèges de la coquetterie et à la prétention des pédantes, elle ne fut pas épargnée par la raillerie : non sans injustice quand les attaques visèrent la personne (pensons au portrait de Polymathie dans Le Roman bourgeois *de Furetière) ; avec plus de raison quand on imputa au* Grand Cyrus *et à* Clélie *une influence déterminante sur le développement de la préciosité. Au regard de tous ceux qui, comme l'abbé d'Aubignac, Tallemant des Réaux, Furetière ou Boileau, manifesteront leur hostilité aux chimères romanesques et aux frivolités de la poésie de salon, Mlle de Scudéry portera la responsabilité d'avoir mis à la mode cette recherche excessive de délicatesse dans les manières, les sentiments et le langage qui fait le ridicule de la précieuse.*

Molière ne pense pas autrement. Ses *précieuses*, qui ont fait de la *Carte de Tendre* leur credo, sont les imitatrices maladroites d'un modèle explicitement désigné comme la source de leur folie. L'auteur aura beau prétendre, dans sa *Préface*, « *que les plus excellentes choses sont sujettes à être copiées par de mauvais singes, qui méritent d'être bernés* », il est douteux qu'il ait jamais porté aux romans de Mlle de Scudéry, pas plus qu'aux bagatelles rimées du recueil de Sercy, une excessive admiration.

Rien ne permet de penser non plus qu'en faisant de Cathos et de Magdelon des «*pecques provinciales*», il ait épargné les héroïnes des ruelles parisiennes. Le ridicule des deux cousines ne tient pas à leur ignorance des modes mondaines, mais à leur volonté «*furieuse*» de s'y soumettre entièrement. Ce sont de purs produits de l'esprit précieux qu'elles ont goûté dans la lecture des grands romans héroïques, ceux notamment de Mlle de Scudéry, où toute cette génération a appris les raffinements de la délicatesse galante et de la tendre amitié. Du reste, en signalant que «*l'air précieux n'a pas seulement infecté Paris, [mais] s'est aussi répandu dans les provinces*», La Grange donne clairement à entendre que cette maladie du goût a pris naissance dans la capitale avant de s'étendre, par contagion, aux régions éloignées. Le fait que Cathos et Magdelon soient présentées comme nouvellement débarquées de leur province justifie tout au plus leur extrême naïveté, mais ne modifie pas fondamentalement la portée critique de la pièce. En accord avec l'optique de la farce, qui tire le portrait vers la charge et la recherche de l'effet comique maximal, la province est moins une donnée caractéristique des précieuses qu'un amplificateur de leurs grimaces ridicules. Par cette indication habile, et au demeurant fort discrète, Molière légitimait, sur la scène parisienne, la caricature bouffonne d'une mode mondaine, de même que le déguisement des valets autorisait *l'outrance burlesque dans la peinture du bel esprit. Ce qui a été parfois perçu comme une atténuation prudente ressemblerait plutôt à un miroir grossissant, ou, si l'on veut absolument y voir une précaution, à un masque de théâtre dont nul n'est tenu d'être dupe.*

On est tenté d'accorder plus de crédit à la distinction posée dans la Préface *entre les « véritables précieuses » et leurs mauvaises imitatrices, dont les mines ridicules appellent la moquerie. Cette distinction entre une préciosité de bon ton, digne d'admiration, et les « imitations vicieuses » qu'en donnent de « mauvais singes » reflète un point de vue largement répandu à l'époque. Il en va de la précieuse comme du bel esprit : les mensonges du paraître et de l'affectation ont jeté la suspicion sur des conduites dont la désignation, originellement laudative, a pris un sens défavorable et ironique. Les figures de la prude et du dévot connaîtront, quelques années plus tard, une évolution analogue : témoin Arsinoé et Tartuffe. D'où la nécessité de séparer le vrai du faux. C'est ce que fait l'abbé de Pure quand, en 1656, dans la première partie de son roman de* La Précieuse, *il compare à la fabrication des faux diamants, les « happelourdes », la prolifération récente des héroïnes des ruelles qui aspirent à faire reconnaître leur « prix » (c'est la valeur étymologique du mot* précieuse). *Sous le nom d'Aurélie, le romancier a peint une précieuse ouvertement ridicule ; mais il a donné un rôle de premier plan à une femme d'un mérite supérieur, Eulalie (la « bien-disante »), rendant hommage à l'esprit, au goût et à l'authentique distinction d'une précieuse estimable, qui ressemble par bien des traits à Mme de La Suze.*

Avec une égale netteté, dans son Épître chagrine à Monseigneur le maréchal d'Albret *(1659), Scarron précise que les « façonnières » dont il raille les « sottes manières », le « jargon » et le « parler gras » sont de fausses précieuses, que l'on doit se garder de confondre avec les « précieuses de prix / Comme il en est deux ou trois dans Paris, / Que l'on respecte autant que des Princesses ». Distinction confirmée à la même époque par Saint-Évremond, pour qui «le corps des précieuses n'est autre chose que l'union d'un petit nombre de personnes, où quelques-unes véritablement délicates ont jeté les autres dans une affectation de délicatesse ridicule»* (Œuvres en prose, *éd. R. Ternois, t. IV, p. 407*).

Mais si, pour deux ou trois «précieuses de prix», les ridicules sont légion, la satire «honnête et permise» dont se réclame Molière dans sa Préface *risque fort d'avoir une assez vaste portée. Associée au procès du «faux bel air» (c'est le titre d'une satire de Perrault parue en 1703), la charge contre la préciosité ridicule prend appui sur les déviations et les excès de la mode pour rappeler que l'affectation, l'artifice et la sotte prétention guettent celles qui portent l'effort de distinction au-delà de la raison et du naturel, à l'égal des mauvais plaisants qui ne sont que des turlupins, ou des fats qui courent après le bel esprit.*

L'ambition de «se tirer du prix commun» des autres personnes du beau sexe constitue, selon l'abbé de Pure, l'essence même des précieuses, ces «spirituelles» dont la pensée, le langage et les manières témoignent d'un désir poussé de raffinement : d'où leur rejet des amours vulgaires et de «la brutalité de l'appétit» (Saint-Évremond) au profit d'une relation purifiée, la tendre amitié, qui vise à substituer aux servitudes du mariage et aux désordres des sens un amour spiritualisé; d'où aussi leur souci de purifier la langue, d'en bannir toute trace de grossièreté et d'y faire régner les formes les plus élégantes du bien-dire; de là enfin leur désir de se poser en arbitres du goût, de participer à la vie littéraire et de juger des productions mondaines en ouvrant leur société à la fréquentation des auteurs et des beaux esprits. Ces aspirations féminines, et même résolument féministes quand elles touchaient aux conditions du mariage et à la situation des femmes dans le monde, traduisaient un esprit nouveau et n'avaient, dans leur principe, rien de ridicule : elles pouvaient le devenir par l'outrance ou la maladresse de certaines de leurs expressions. Dans une société éprise de justesse, d'aisance et de mesure, l'excès de raffinement n'apparaît pas moins blâmable que le défaut de politesse, et le savoir prétentieux ne vaut guère mieux que l'ignorance grossière. Entre la délicate et la renchérie, l'élégante et la façonnière, la sage et la prude, la femme d'esprit et la savante, le pas était glissant : les précieuses qui ne surent pas se défendre de la prétention s'exposèrent à la raillerie.

Sur le fond, la comédie de Molière s'accordait trop avec les convenances du goût mondain pour que le public des «honnêtes gens» n'applaudît point au procès de la fausse précieuse et du faux bel esprit. Mais la farce, avec une irrévérence joyeuse, laissait à chacun le soin d'apprécier l'exacte portée de la satire en s'abstenant de tracer sur la scène la frontière qui sépare le véritable bel air de sa contrefaçon. Si, au sens vrai du terme, le bel esprit, selon le père Bouhours, peut être défini comme «le bon sens qui brille» (Entretiens d'Ariste et d'Eugène, 1671), si, comme l'écrit Bussy-Rabutin dans une lettre du 6 mars 1679, «le goût [...] veut dire l'estime des bonnes choses», si le discernement consiste dans «le bien juger du mérite des gens et des ouvrages», si la délicatesse est «une finesse dans l'esprit» et encore «une justesse», il est clair que Mascarille, Cathos et sa cousine sont condamnés à singer un idéal dont ils sont éloignés, pour parler comme Magdelon, «de plus de deux mille lieues». Mais en livrant un reflet caricatural de la vie mondaine, avec ses divertissements favoris — visite, conversation galante, nouvelles de la mode et du Parnasse, lecture poétique, bal improvisé —, la farce satirique invitait à porter un regard critique sur une autre comédie, bien réelle celle-là, dont les acteurs étaient dans la salle. En faisant de la scène un miroir moqueur du monde et de ses travers, Molière prenait les spectateurs au piège du rire : le succès du spectacle prouve que le public mondain avait suffisamment d'esprit pour savoir se moquer de lui-même et se réjouir de ce bon tour.

Un événement littéraire

C'est à son corps défendant que Molière, au début de 1660, a livré à l'impression ses Précieuses ridicules. *Affrontant pour la première fois le jugement des lecteurs, il s'amuse, dans sa* Préface, *à l'idée d'être devenu le confrère de « Messieurs les auteurs ». Homme de lettres malgré lui, le dramaturge n'aurait sans doute pas songé à faire éditer si vite la farce des* Précieuses, *alors qu'il n'avait pas encore cru bon de publier des comédies plus ambitieuses comme* L'Étourdi *ou* Le Dépit amoureux, *dont il conservait ainsi l'exclusivité des représentations, si un libraire peu scrupuleux, Jean Ribou, sous le couvert d'un privilège obtenu par surprise, ne s'était apprêté à imprimer une copie de la pièce. Pour faire échec à cette tentative de piratage, Molière confia l'édition de ses* Précieuses ridicules *à Guillaume de Luyne, dont le privilège, accordé le 19 janvier 1660, annulait celui que Jean Ribou avait usurpé quelques jours plus tôt. En sautant « du Théâtre de Bourbon dans la galerie du Palais », la pièce changeait de statut : privée des agréments du jeu, dont Molière mesure toute l'importance, c'est par les seules vertus du texte qu'elle doit séduire. Peu de farces au XVII*e *siècle, à tout le moins avant Molière, avaient été jugées dignes de l'impression : signe du mépris que la critique savante, depuis un siècle, n'avait cessé de faire peser sur le genre ; conséquence aussi de la part plus ou moins grande accordée, par tradition, à l'improvisation. Même si elle fut pour partie dictée par les circonstances, la publication des* Précieuses ridicules *prouve que Molière estimait que sa pièce était d'une qualité littéraire assez forte pour s'exposer aux exigences des lettrés.*

La Préface *révèle l'assurance heureuse et narquoise d'un auteur porté par le succès, qui prend avec une souriante désinvolture ses distances vis-à-vis des dédicaces intéressées, des doctes présentations et des louanges de commande. Si la gaieté du ton témoigne avec humour de la volonté de se tenir éloigné de toute prétention, elle marque aussi l'indépendance d'un créateur qui sait mettre les rieurs de son côté et n'hésite pas à porter sur les manèges de la vie littéraire un regard ironique. Il n'est pas impossible que Molière se soit amusé, par allusion, à narguer le Grand Corneille, dont on savait qu'il s'apprêtait à donner une édition collective de son théâtre enrichie de* Discours *théoriques et d'*Examens *critiques propres à satisfaire le monde savant. Cette irrévérence moqueuse d'un Mascarille métamorphosé par le succès en maître de la scène comique éclaire assez bien la situation nouvelle de Molière en 1660 : avec moins d'arrogance que l'*Excuse à Ariste, *qui fit tant de bruit à l'époque de la querelle du* Cid, *la* Préface *des* Précieuses ridicules *avait un air de victoire, et comme un accent de défi. Plus que* L'Étourdi *ou* Le Dépit amoureux, *la pièce était d'original, et l'auteur « tout neuf » pouvait se targuer, en dépit des accusations de plagiat lancées par Somaize, de ne devoir qu'à lui seul « toute sa renommée ».*

C'est par là d'abord que Les Précieuses ridicules *font date dans la carrière dramatique de Molière. Elles marquent l'avènement d'un auteur à qui le succès a donné des armes capables de contrer le mépris de ceux qui voudraient ne voir en lui qu'un « farceur » ignorant des principes de l'art dramatique. Elles inaugurent aussi la rencontre féconde de la tradition farcesque avec l'actualité et la vie. Solidement ancrée dans la réalité contemporaine, la fiction scénique cesse d'être un pur divertissement de théâtre, simple « machine à rire », pour faire du spectacle le révélateur des travers et des extravagances du monde, avec ses esprits obtus obstinément attachés à des usages périmés et ses « visionnaires » grisés par leurs rêves chimériques de grandeur et de distinction. En liant étroitement le ridicule extérieur des conduites aux aveuglements de la raison, la farce ne se convertit pas à la vraisemblance — l'imitation de la nature n'est pas son fait ; mais, sans renoncer à la simplification et au* grossissement du trait, qui sont de l'essence du genre, elle donne au rire le pouvoir de démasquer préjugés, illusions et faux-semblants en rendant perceptible, sous la gaieté de l'exagération, la vérité des mœurs et des caractères. Conquête décisive de la farce satirique, cette «assomption du ridicule» (Patrick Dandrey) imprimait au comique un caractère moderne dont les contemporains ont perçu et goûté la nouveauté.

Mieux qu'une bouffonnerie, Molière apportait, avec Les Précieuses ridicules, une conception renouvelée du rire qui, quoi qu'aient pu dire ses détracteurs, dépassait les procédés de la farce, tout en en préservant la sève comique, et cultivait la provocation ironique sans confondre la malice de la moquerie avec la malignité de la satire. Sans doute y avait-il quelque impertinence à se gausser des multiples formes d'affectation engendrées par la mode et à situer le ridicule sur la scène du monde. Mais tous les traits comiques, qu'ils soient dirigés contre l'abus des fards, les chimères du romanesque «tendre», le culte de la mode, la prétention outrée à la délicatesse et au bel esprit ou la valorisation dérisoire des bagatelles poétiques, convergent vers une même cible ; et même quand la raillerie obéit à des raisons plus personnelles (pensons à l'éloge ironique de la diction ronflante des «grands comédiens» ou au procès de l'ambition des gens de qualité à s'imposer sur la scène artistique et à régenter la vie théâtrale), la critique traduit toujours une exigence foncière de naturel et de vérité qui éloigne la satire de l'anecdote et la soumet à l'expression cohérente d'un point de vue. Par là encore, Les Précieuses ridicules ouvraient une voie nouvelle. En faisant du comique l'instrument d'une leçon, la pièce associait à la franche gaieté du jeu farcesque un rire de connivence, qui sollicitait la réflexion et réjouissait l'esprit.

Dans les limites d'un «petit divertissement» qui gardait de solides attaches avec la farce, Molière apportait donc au théâtre un esprit, un ton et un style personnels. Le public ne s'y est pas trompé : il a applaudi dans Les Précieuses ridicules *l'expression éclatante d'une conception renouvelée du comique et, s'il a ri des extravagances de Magdelon, de Cathos et de Mascarille, ce n'est pas seulement parce qu'il percevait, mieux que nous, que ces figures n'étaient pas purement imaginaires, mais aussi et surtout parce qu'il découvrait dans ces personnages fortement dessinés de grandes créations de théâtre. Comme le marquis extravagant, comme plus tard Harpagon, Tartuffe, Alceste, Jourdain, Philaminte ou Argan, la fausse précieuse résulte de l'invention comique; fruit de l'art, elle n'existe qu'au sein de l'œuvre qui lui a donné naissance, dans l'univers imaginaire d'une comédie qui transcende le réel et crée sa propre vérité. Par là s'explique l'inépuisable gaieté, l'inusable vitalité comique d'une pièce qui a survécu à la mode dont elle se moquait. Si le comique de la préciosité peut renaître, sur la scène, à chaque représentation, ce n'est pas tant, comme on l'a dit, parce que les spectateurs se réjouissent d'y retrouver l'image d'un éternel snobisme, mais bien parce que la préciosité ridicule s'invente, sous leurs yeux, comme l'absurde chez Ionesco, dans l'élan irrésistible d'un jeu comique capable de donner vie à la plus joyeuse des fictions.*

Dernière innovation, et non des moindres : en portant sur la scène un bal improvisé, Molière offrait une première esquisse burlesque de comédie-ballet, un peu comme Corneille, dans L'Illusion comique, *avait laissé entrevoir, sur le mode de la dérision, l'éclat du verbe héroïque dans le personnage de Matamore. Sans verser dans le travers des précieuses, qu'un enthousiasme excessif pour les productions mondaines porte à juger «du dernier beau» la moindre bagatelle, il est permis, pour peu qu'on se détache des vieilles préventions contre la farce, de reconnaître dans* Les Précieuses ridicules *la première expression accomplie d'une recherche dramatique ten-*

dant à mettre toutes les ressources du spectacle, y compris le chant, la musique et la danse, au service de la gaieté, en vue de faire de la scène comique, lieu irréel par excellence, le miroir de l'humaine comédie.

Jacques Chupeau

NOTE SUR LE TEXTE

Nous reproduisons le texte de l'édition originale parue au début de 1660 chez le libraire parisien Guillaume de Luyne, associé à Claude Barbin et à Charles de Sercy (achevé d'imprimer du 29 janvier 1660). L'orthographe et la ponctuation ont été modernisées. On trouvera entre crochets les indications scéniques apportées par les éditions de 1682 et de 1734. Dans les notes du texte et les appendices, l'abréviation *O. C.* désigne l'édition des *Œuvres complètes* de Molière établie par Georges Couton pour la Bibliothèque de la Pléiade.

Les Précieuses ridicules

COMÉDIE

PRÉFACE

C'est une chose étrange[1] qu'on imprime les gens malgré eux[2]. Je ne vois rien de si injuste, et je pardonnerais toute autre violence plutôt que celle-là.

Ce n'est pas que je veuille faire ici l'auteur modeste et mépriser par honneur ma comédie. J'offenserais mal à propos tout Paris, si je l'accusais d'avoir pu applaudir à une sottise. Comme le public est le juge absolu de ces sortes d'ouvrages[3], il y aurait de l'impertinence[4] à moi de le démentir ; et quand j'aurais eu la plus mauvaise opinion du monde de mes *Précieuses ridicules* avant leur représentation, je dois croire maintenant qu'elles valent quelque chose, puisque tant de gens ensemble en ont dit du bien. Mais comme une grande partie des grâces qu'on y a trouvées dépendent de l'action[5] et du ton de voix, il m'importait qu'on ne les dépouillât pas de ces ornements ; et je trouvais que le succès qu'elles avaient eu dans la représentation était assez beau pour en demeurer là. J'avais résolu, dis-je, de ne les faire voir qu'à la chandelle[6], pour ne point donner lieu à quelqu'un de dire le proverbe[7] ; et je ne voulais pas qu'elles sautassent du théâtre de Bourbon dans la galerie du Palais[8]. Cependant je n'ai pu l'éviter, et je suis tombé dans la disgrâce de voir une copie dérobée de ma pièce entre les mains des libraires, accompagnée d'un privilège obtenu par surprise. J'ai eu beau crier : « Ô temps ! ô mœurs![9] », on m'a fait voir une nécessité pour moi d'être imprimé, ou d'avoir un procès ; et le dernier mal est encore pire que le premier. Il faut donc se laisser aller à la destinée et consentir à une chose qu'on ne laisserait pas de faire sans moi.

Mon Dieu, l'étrange embarras qu'un livre à mettre au jour, et qu'un auteur est neuf[10] la première fois qu'on l'imprime ! Encore si l'on m'avait donné du temps, j'aurais pu mieux songer à moi, et j'aurais pris toutes les précautions que Messieurs les auteurs[11], à présent mes confrères, ont coutume de prendre en semblables occasions. Outre quelque grand seigneur que j'aurais été prendre malgré lui pour protecteur de mon ouvrage, et dont j'aurais tenté la libéralité par une épître dédicatoire bien fleurie, j'aurais tâché de faire une belle et docte préface ; et je ne manque point de livres qui m'auraient fourni tout ce qu'on peut dire de savant sur la tragédie et la comédie, l'étymologie de toutes deux, leur origine, leur définition et le reste. J'aurais parlé aussi à mes amis qui, pour la recommandation de ma pièce, ne m'auraient pas refusé ou des vers français, ou des vers latins. J'en ai même qui m'auraient loué en grec[12] ; et l'on n'ignore pas qu'une louange en grec est d'une merveilleuse efficace[13] à la tête d'un livre. Mais on me met au jour sans me donner le loisir de me reconnaître[14] ; et je ne puis même obtenir la liberté de dire deux mots pour justifier mes intentions sur le sujet de cette comédie. J'aurais voulu faire voir qu'elle se tient partout dans les bornes de la satire honnête et permise[15] ; que les plus excellentes choses sont sujettes à être copiées par de mauvais singes, qui méritent d'être bernés[16] ; que ces vicieuses imitations de ce qu'il y a de plus parfait ont été de tout temps la matière de la comédie ; et que, par la même raison que les véritables savants et les vrais braves ne se sont point encore avisés de s'offenser du Docteur de la comédie et du Capitan[17], non plus que les juges, les princes et les rois de voir Trivelin[18], ou quelque autre sur le théâtre, faire ridiculement le juge, le prince ou le roi, aussi les véritables précieuses auraient tort de se piquer lorsqu'on joue les ridicules qui les imitent mal[19]. Mais enfin, comme j'ai dit, on ne me laisse pas le temps de respirer, et M. de Luyne veut m'aller relier[20] de ce pas : à la bonne heure, puisque Dieu l'a voulu !

LES PERSONNAGES[1]

LA GRANGE
DU CROISY } *amants rebutés[2].*

GORGIBUS, *bon bourgeois[3].*

MAGDELON, *fille de Gorgibus*
CATHOS, *nièce de Gorgibus* } *précieuses ridicules.*

MAROTTE, *servante des précieuses ridicules.*

ALMANZOR[4], *laquais des précieuses ridicules.*

LE MARQUIS DE MASCARILLE, *valet de La Grange.*

LE VICOMTE DE JODELET, *valet de Du Croisy.*

DEUX PORTEURS DE CHAISE.

VOISINES.

VIOLONS[5].

SCÈNE PREMIÈRE

LA GRANGE, DU CROISY

DU CROISY

Seigneur[1] La Grange…

LA GRANGE

Quoi?

DU CROISY

Regardez-moi un peu sans rire.

LA GRANGE

Eh bien?

DU CROISY

Que dites-vous de notre visite? en êtes-vous fort satisfait?

LA GRANGE

À votre avis, avons-nous sujet de l'être tous deux?

DU CROISY

Pas tout à fait, à dire vrai.

LA GRANGE

Pour moi, je vous avoue que j'en suis tout scandalisé. A-t-on jamais vu, dites-moi, deux pecques[2] provinciales faire plus les renchéries[3] que celles-là, et deux hommes traités avec plus de mépris que nous? À peine ont-elles pu se résoudre à nous faire donner des sièges[4]. Je n'ai jamais vu tant parler à l'oreille qu'elles ont fait entre elles, tant bâiller, tant se frotter les yeux et demander tant de fois: «Quelle heure est-il?[5]» Ont-elles répondu que[6] oui et non à tout ce que nous avons pu leur dire? Et ne m'avouerez-vous pas enfin que, quand nous aurions été les dernières personnes du monde, on ne pouvait nous faire pis qu'elles ont fait?

DU CROISY

Il me semble que vous prenez la chose fort à cœur.

LA GRANGE

Sans doute, je l'y prends, et de telle façon que je veux me venger de cette impertinence. Je connais ce qui nous a fait mépriser. L'air précieux n'a pas seulement infecté Paris[7], il s'est aussi répandu dans les provinces, et nos donzelles[8] ridicules en ont humé leur bonne part. En un mot, c'est un ambigu[9] de précieuse et de coquette que leur personne. Je vois ce qu'il faut être pour en être bien reçu; et si vous m'en croyez, nous leur jouerons tous deux une pièce[10] qui leur fera voir leur sottise et pourra leur apprendre à connaître un peu mieux leur monde.

DU CROISY

Et comment encore ?

LA GRANGE

J'ai un certain valet, nommé Mascarille, qui passe, au
sentiment de beaucoup de gens, pour une manière de
bel esprit ; car il n'y a rien à meilleur marché que le bel
esprit maintenant[11]. C'est un extravagant, qui s'est mis
dans la tête de vouloir faire l'homme de condition[12]. Il
se pique ordinairement de galanterie[13] et de vers et
dédaigne les autres valets, jusqu'à les appeler brutaux[14].

DU CROISY

Eh bien, qu'en prétendez-vous faire ?

LA GRANGE

Ce que j'en prétends faire ? Il faut… Mais sortons
d'ici auparavant.

SCÈNE II

GORGIBUS, DU CROISY, LA GRANGE

GORGIBUS

Eh bien, vous avez vu ma nièce et ma fille : les affaires[1]
iront-elles bien ? Quel est le résultat de cette visite ?

LA GRANGE

C'est une chose que vous pourrez mieux apprendre
d'elles que de nous. Tout ce que nous pouvons vous
dire, c'est que nous vous rendons grâce de la faveur
que vous nous avez faite, et demeurons vos très
humbles serviteurs[2].

GORGIBUS [*, seul*, 1734]

Ouais ! il semble qu'ils sortent mal satisfaits d'ici.
D'où pourrait venir leur mécontentement ? Il faut
savoir un peu ce que c'est. Holà !

SCÈNE III

MAROTTE, GORGIBUS

MAROTTE

Que désirez-vous, Monsieur ?

GORGIBUS

Où sont vos maîtresses ?

MAROTTE

Dans leur cabinet [1].

GORGIBUS

Que font-elles ?

MAROTTE

De la pommade pour les lèvres.

GORGIBUS

C'est trop pommadé [2]. Dites-leur qu'elles descendent.
Ces pendardes-là, avec leur pommade, ont, je pense,
envie de me ruiner. Je ne vois partout que blancs
d'œufs, lait virginal [3], et mille autres brimborions [4] que
je ne connais point. Elles ont usé, depuis que nous
sommes ici, le lard d'une douzaine de cochons, pour le
moins, et quatre valets vivraient tous les jours des pieds
de mouton qu'elles emploient [5].

SCÈNE IV

MAGDELON, CATHOS, GORGIBUS

GORGIBUS

Il est bien nécessaire vraiment de faire tant de dépenses pour vous graisser le museau. Dites-moi un peu ce que vous avez fait à ces Messieurs, que[1] je les vois sortir avec tant de froideur? Vous avais-je pas commandé de les recevoir comme des personnes que je voulais vous donner pour maris?

MAGDELON

Et quelle estime, mon père, voulez-vous que nous fassions du procédé irrégulier[2] de ces gens-là?

CATHOS

Le moyen, mon oncle, qu'une fille un peu raisonnable se pût accommoder de leur personne?

GORGIBUS

Et qu'y trouvez-vous à redire?

MAGDELON

La belle galanterie[3] que la leur! Quoi? débuter d'abord par le mariage!

GORGIBUS

Et par où veux-tu donc qu'ils débutent? par le concubinage[4]? N'est-ce pas un procédé dont vous avez sujet de vous louer toutes deux aussi bien que moi? Est-il rien de plus obligeant que cela? Et ce lien sacré où ils aspirent n'est-il pas un témoignage de l'honnêteté de leurs intentions?

MAGDELON

Ah! mon père, ce que vous dites là est du dernier bourgeois[5]. Cela me fait honte de vous ouïr parler de la sorte, et vous devriez un peu vous faire apprendre le bel air des choses.

GORGIBUS

Je n'ai que faire ni d'air ni de chanson[6]. Je te dis que le mariage est une chose simple et sacrée, et que c'est faire[7] en honnêtes gens que de débuter par là.

MAGDELON

Mon Dieu, que, si tout le monde vous ressemblait, un roman serait bientôt fini! La belle chose que ce serait si d'abord Cyrus épousait Mandane, et qu'Aronce de plain-pied[8] fût marié à Clélie[9].

GORGIBUS

Que me vient conter celle-ci?

MAGDELON

Mon père, voilà ma cousine qui vous dira, aussi bien que moi, que le mariage ne doit jamais arriver qu'après les autres aventures. Il faut qu'un amant[10], pour être agréable, sache débiter les beaux sentiments, pousser le doux, le tendre et le passionné[11], et que sa recherche[12] soit dans les formes. Premièrement, il doit voir au temple[13], ou à la promenade, ou dans quelque cérémonie publique, la personne dont il devient amoureux; ou bien être conduit fatalement chez elle par un parent ou un ami, et sortir de là tout rêveur et mélancolique. Il cache un temps sa passion à l'objet aimé, et cependant lui rend plusieurs visites, où l'on ne manque jamais de mettre sur le tapis une question galante[14] qui exerce les esprits de l'assemblée. Le jour de la déclaration arrive, qui se doit faire ordinairement dans une allée de quelque jardin, tandis que la compagnie s'est un peu éloignée ; et cette déclaration est suivie d'un prompt courroux, qui paraît à notre rougeur, et qui, pour un temps, bannit l'amant de notre présence. Ensuite il trouve moyen de nous apaiser, de nous accoutumer insensiblement au discours de sa passion, et de tirer de nous cet aveu qui fait tant de peine[15]. Après cela viennent les aventures, les rivaux qui se jettent à la traverse d'une inclination établie, les persécutions des pères, les jalousies conçues sur de fausses apparences, les plaintes, les désespoirs, les enlèvements, et ce qui s'ensuit[16]. Voilà comme les choses se traitent dans les belles manières, et ce sont des règles dont, en bonne galanterie, on ne saurait se dispenser. Mais en venir de but en blanc à l'union conjugale, ne faire l'amour[17] qu'en faisant le contrat de mariage, et prendre justement le roman par la queue[18] ! encore un coup, mon père, il ne se peut rien de plus marchand que ce procédé ; et j'ai mal au cœur de la seule vision que cela me fait.

GORGIBUS

Quel diable de jargon[19] entends-je ici ? Voici bien du haut style.

CATHOS

En effet, mon oncle, ma cousine donne dans le vrai de la chose. Le moyen de bien recevoir des gens qui sont tout à fait incongrus en galanterie ? Je m'en vais gager qu'ils n'ont jamais vu la carte de Tendre, et que Billets-Doux, Petits-Soins, Billets-Galants et Jolis-Vers sont des terres inconnues pour eux[20]. Ne voyez-vous pas que toute leur personne marque cela, et qu'ils n'ont point cet air[21] qui donne d'abord bonne opinion des gens? Venir en visite amoureuse avec une jambe tout unie[22], un chapeau désarmé de plumes, une tête irrégulière en cheveux, et un habit qui souffre une indigence de rubans…! mon Dieu, quels amants sont-ce là! Quelle frugalité d'ajustement et quelle sécheresse de conversation! On n'y dure point, on n'y tient pas. J'ai remarqué encore que leurs rabats[23] ne sont pas de la bonne faiseuse, et qu'il s'en faut plus d'un grand demi-pied que leurs hauts-de-chausses ne soient assez larges[24].

GORGIBUS

Je pense qu'elles sont folles toutes deux, et je ne puis rien comprendre à ce baragouin. Cathos, et vous, Magdelon…

MAGDELON

Eh! de grâce, mon père, défaites-vous de ces noms étranges, et nous appelez autrement[25].

GORGIBUS

Comment, ces noms étranges! Ne sont-ce pas vos noms de baptême?

MAGDELON

Mon Dieu, que vous êtes vulgaire! Pour moi, un de mes étonnements, c'est que vous ayez pu faire une fille si spirituelle[26] que moi. A-t-on jamais parlé dans le beau style de Cathos ni de Magdelon? et ne m'avouerez-vous pas que ce serait assez d'un de ces noms pour décrier le plus beau roman du monde?

CATHOS

Il est vrai, mon oncle, qu'une oreille un peu délicate
pâtit furieusement[27] à entendre prononcer ces mots-là ;
et le nom de Polyxène[28] que ma cousine a choisi, et
celui d'Aminte[29] que je me suis donné, ont une grâce
dont il faut que vous demeuriez d'accord.

GORGIBUS

Écoutez, il n'y a qu'un mot qui serve[30] : je n'entends
point que vous ayez d'autres noms que ceux qui vous
ont été donnés par vos parrains et marraines ; et pour
ces Messieurs dont il est question, je connais leurs
familles et leurs biens, et je veux résolument que vous
vous disposiez à les recevoir pour maris. Je me lasse de
vous avoir sur les bras, et la garde de deux filles est une
charge un peu trop pesante pour un homme de mon
âge.

CATHOS

Pour moi, mon oncle, tout ce que je vous puis dire,
c'est que je treuve[31] le mariage une chose tout à fait
choquante. Comment est-ce qu'on peut souffrir la pensée de coucher contre un homme vraiment nu[32] ?

MAGDELON

Souffrez que nous prenions un peu haleine parmi le
beau monde de Paris, où nous ne faisons que d'arriver.
Laissez-nous faire à loisir le tissu de notre roman, et
n'en pressez point tant la conclusion.

GORGIBUS

Il n'en faut point douter, elles sont achevées[33].
Encore un coup, je n'entends rien à toutes ces balivernes ; je veux être maître absolu ; et pour trancher

toutes sortes de discours, ou vous serez mariées toutes deux avant qu'il soit peu, ou, ma foi ! vous serez religieuses : j'en fais un bon serment.

SCÈNE V

CATHOS, MAGDELON

CATHOS

Mon Dieu ! ma chère[1], que ton père a la forme enfoncée dans la matière[2] ! que son intelligence est épaisse, et qu'il fait sombre dans son âme !

MAGDELON

Que veux-tu, ma chère ? J'en suis en confusion pour lui. J'ai peine à me persuader que je puisse être véritablement sa fille, et je crois que quelque aventure, un jour, me viendra développer une naissance plus illustre[3].

CATHOS

Je le croirais bien ; oui, il y a toutes les apparences du monde ; et pour moi, quand je me regarde aussi…

SCÈNE VI

MAROTTE, CATHOS, MAGDELON

MAROTTE

Voilà un laquais qui demande si vous êtes au logis, et dit que son maître vous veut venir voir.

MAGDELON

Apprenez, sotte, à vous énoncer moins vulgairement. Dites : «Voilà un nécessaire[1] qui demande si vous êtes en commodité d'être visibles.»

MAROTTE

Dame ! je n'entends point le latin[2], et je n'ai pas appris, comme vous, la filofie dans *le Grand Cyre*[3].

MAGDELON

L'impertinente[4] ! Le moyen de souffrir cela ? Et qui est-il, le maître de ce laquais ?

MAROTTE

Il me l'a nommé le marquis de Mascarille.

MAGDELON

Ah ! ma chère, un marquis[5] ! Oui, allez dire qu'on nous peut voir. C'est sans doute un bel esprit qui aura ouï parler de nous.

CATHOS

Assurément, ma chère.

MAGDELON

Il faut le recevoir dans cette salle basse[6], plutôt qu'en notre chambre. Ajustons un peu nos cheveux au moins, et soutenons notre réputation. Vite, venez nous tendre ici dedans[7] le conseiller des grâces[8].

MAROTTE

Par ma foi, je ne sais point quelle bête c'est là : il faut parler chrétien[9], si vous voulez que je vous entende.

CATHOS

Apportez-nous le miroir, ignorante que vous êtes, et gardez-vous bien d'en salir la glace par la communication de votre image.

[*Elles sortent.* 1734]

SCÈNE VII

MASCARILLE, DEUX PORTEURS

MASCARILLE

Holà, porteurs, holà! Là, là, là, là, là, là. Je pense que ces marauds-là ont dessein de me briser à force de heurter contre les murailles et les pavés.

PREMIER PORTEUR

Dame! c'est que la porte est étroite : vous avez voulu aussi que nous soyons entrés jusqu'ici[1].

MASCARILLE

Je le crois bien. Voudriez-vous, faquins, que j'exposasse l'embonpoint de mes plumes aux inclémences de la saison pluvieuse, et que j'allasse imprimer mes souliers en boue? Allez, ôtez votre chaise d'ici.

DEUXIÈME PORTEUR

Payez-nous donc, s'il vous plaît, Monsieur.

MASCARILLE

Hem?

DEUXIÈME PORTEUR

Je dis, Monsieur, que vous nous donniez de l'argent,
s'il vous plaît.

MASCARILLE, *lui donnant un soufflet.*

Comment, coquin, demander de l'argent à une personne de ma qualité[2] !

DEUXIÈME PORTEUR

Est-ce ainsi qu'on paye les pauvres gens ? et votre
qualité nous donne-t-elle à dîner ?

MASCARILLE

Ah ! ah ! ah ! je vous apprendrai à vous connaître !
Ces canailles-là s'osent jouer à moi.

PREMIER PORTEUR,
prenant un des bâtons de sa chaise.

Ça, payez-nous vitement[3] !

MASCARILLE

Quoi ?

PREMIER PORTEUR

Je dis que je veux avoir de l'argent tout à l'heure[4].

MASCARILLE

Il est raisonnable[5].

PREMIER PORTEUR

Vite donc.

MASCARILLE

Oui-da. Tu parles comme il faut, toi ; mais l'autre est un coquin qui ne sait ce qu'il dit. Tiens : es-tu content ?

PREMIER PORTEUR

Non, je ne suis pas content : vous avez donné un soufflet à mon camarade, et…

[*levant son bâton.* 1734]

MASCARILLE

Doucement. Tiens, voilà pour le soufflet. On obtient tout de moi quand on s'y prend de la bonne façon. Allez, venez me reprendre tantôt pour aller au Louvre, au petit coucher[6].

SCÈNE VIII

MAROTTE, MASCARILLE

MAROTTE

Monsieur, voilà mes maîtresses qui vont venir tout à l'heure.

MASCARILLE

Qu'elles ne se pressent point : je suis ici posté[1] commodément pour attendre.

MAROTTE

Les voici.

SCÈNE IX

MAGDELON, CATHOS, MASCARILLE, ALMANZOR

MASCARILLE, *après avoir salué*[1].

Mesdames[2], vous serez surprises, sans doute, de l'audace de ma visite; mais votre réputation vous attire cette méchante affaire, et le mérite a pour moi des charmes si puissants, que je cours partout après lui.

MAGDELON

Si vous poursuivez le mérite, ce n'est pas sur nos terres que vous devez chasser.

CATHOS

Pour voir chez nous le mérite, il a fallu que vous l'y ayez amené.

MASCARILLE

Ah! je m'inscris en faux[3] contre vos paroles. La renommée accuse juste en contant ce que vous valez; et vous allez faire pic, repic et capot[4] tout ce qu'il y a de galant dans Paris.

MAGDELON

Votre complaisance pousse un peu trop avant la libéralité de ses louanges; et nous n'avons garde, ma cousine et moi, de donner de notre sérieux dans le doux de votre flatterie.

CATHOS

Ma chère, il faudrait faire donner des sièges.

MAGDELON

Holà, Almanzor !

ALMANZOR

Madame.

MAGDELON

Vite, voiturez-nous ici les commodités de la conversation.

MASCARILLE

Mais au moins, y a-t-il sûreté ici pour moi ?

[*Almanzor sort.* 1734]

CATHOS

Que craignez-vous ?

MASCARILLE

Quelque vol de mon cœur, quelque assassinat de ma
franchise[5]. Je vois ici des yeux qui ont la mine d'être de
fort mauvais garçons, de faire insulte[6] aux libertés, et
de traiter une âme de Turc à More[7]. Comment diable,
d'abord qu'on les approche, ils se mettent sur leur
garde meurtrière[8] ? Ah ! par ma foi, je m'en défie, et je
m'en vais gagner au pied[9], ou je veux caution bourgeoise[10] qu'ils ne me feront point de mal.

MAGDELON

Ma chère, c'est le caractère enjoué.

CATHOS

Je vois bien que c'est un Amilcar[11].

MAGDELON

Ne craignez rien : nos yeux n'ont point de mauvais desseins, et votre cœur peut dormir en assurance sur leur prud'homie[12].

CATHOS

Mais de grâce, Monsieur, ne soyez pas inexorable à ce fauteuil qui vous tend les bras il y a un quart d'heure ; contentez un peu l'envie qu'il a de vous embrasser[13].

MASCARILLE, *après s'être peigné*[14]
et avoir ajusté ses canons[15].

Eh bien, Mesdames, que dites-vous de Paris ?

MAGDELON

Hélas ! qu'en pourrions-nous dire ? Il faudrait être l'antipode[16] de la raison, pour ne pas confesser que Paris est le grand bureau des merveilles, le centre du bon goût, du bel esprit et de la galanterie.

MASCARILLE

Pour moi, je tiens que hors de Paris, il n'y a point de salut pour les honnêtes gens[17].

CATHOS

C'est une vérité incontestable.

MASCARILLE

Il y fait un peu crotté ; mais nous avons la chaise[18].

MAGDELON

Il est vrai que la chaise est un retranchement merveilleux contre les insultes de la boue[19] et du mauvais temps.

MASCARILLE

Vous recevez beaucoup de visites : quel bel esprit est des vôtres ?

MAGDELON

Hélas ! nous ne sommes pas encore connues ; mais nous sommes en passe de l'être, et nous avons une amie particulière qui nous a promis d'amener ici tous ces Messieurs du *Recueil des pièces choisies*[20].

CATHOS

Et certains autres qu'on nous a nommés aussi pour être les arbitres souverains des belles choses.

MASCARILLE

C'est moi qui ferai votre affaire mieux que personne : ils me rendent tous visite ; et je puis dire que je ne me lève jamais sans une demi-douzaine de beaux esprits.

MAGDELON

Eh ! mon Dieu, nous vous serons obligées de la dernière obligation si vous nous faites cette amitié ; car enfin[21] il faut avoir la connaissance de tous ces Messieurs-là, si l'on veut être du beau monde[22]. Ce sont eux qui donnent le branle à la réputation dans Paris, et vous savez qu'il y en a tel dont il ne faut que la seule fréquentation pour vous donner bruit de connaisseuse, quand il n'y aurait rien autre chose que cela[23]. Mais pour moi, ce que je considère particulièrement, c'est que, par le moyen de ces visites spirituelles[24], on est instruite de cent choses qu'il faut savoir de nécessité, et qui sont de l'essence d'un bel esprit. On apprend par là chaque jour les petites nouvelles galantes, les jolis commerces de prose et de vers. On sait à point nommé : « Un tel a composé la plus jolie pièce du monde sur un tel sujet ; une telle a fait des paroles sur un tel air ; celui-ci a fait un madrigal sur une jouissance[25] ; celui-là a composé des stances sur une infidélité ; Monsieur un tel écrivit hier au soir un sixain à Mademoiselle une telle, dont elle lui a envoyé la réponse ce matin sur les huit heures ; un tel auteur a fait un tel dessein ; celui-là en est à la troisième partie de son roman ; cet autre met ses ouvrages sous la presse. » C'est là ce qui vous fait valoir dans les compagnies ; et si l'on ignore ces choses, je ne donnerais pas un clou[26] de tout l'esprit qu'on peut avoir.

CATHOS

En effet, je trouve que c'est renchérir sur le ridicule, qu'une personne se pique d'esprit et ne sache pas jusqu'au moindre petit quatrain qui se fait chaque jour ; et pour moi, j'aurais toutes les hontes du monde s'il fallait qu'on vînt à me demander si j'aurais vu quelque chose de nouveau que je n'aurais pas vu.

MASCARILLE

Il est vrai qu'il est honteux de n'avoir pas des premiers tout ce qui se fait[27] ; mais ne vous mettez pas en peine : je veux établir chez vous une Académie de beaux esprits, et je vous promets qu'il ne se fera pas un bout de vers dans Paris que vous ne sachiez par cœur avant tous les autres. Pour moi, tel que vous me voyez, je m'en escrime un peu quand je veux ; et vous verrez courir de ma façon, dans les belles ruelles de Paris[28], deux cents chansons, autant de sonnets, quatre cents épigrammes et plus de mille madrigaux, sans compter les énigmes et les portraits[29].

MAGDELON

Je vous avoue que je suis furieusement pour les por
traits[30]; je ne vois rien de si galant que cela.

MASCARILLE

Les portraits sont difficiles, et demandent un esprit
profond : vous en verrez de ma manière qui ne vous
déplairont pas.

CATHOS

Pour moi, j'aime terriblement les énigmes.

MASCARILLE

Cela exerce l'esprit, et j'en ai fait quatre encore ce
matin, que je vous donnerai à deviner[31].

MAGDELON

Les madrigaux sont agréables, quand ils sont bien
tournés.

MASCARILLE

C'est mon talent particulier; et je travaille à mettre
en madrigaux toute l'histoire romaine[32].

MAGDELON

Ah ! certes, cela sera du dernier beau. J'en retiens un
exemplaire au moins, si vous le faites imprimer.

MASCARILLE

Je vous en promets à chacune un, et des mieux reliés.
Cela est au-dessous de ma condition ; mais je le fais seulement pour donner à gagner aux libraires qui me persécutent.

MAGDELON

Je m'imagine que le plaisir est grand de se voir imprimé.

MASCARILLE

Sans doute. Mais à propos, il faut que je vous die[33] un impromptu que je fis hier chez une duchesse de mes amies que je fus visiter ; car je suis diablement fort sur les impromptus[34].

CATHOS

L'impromptu est justement la pierre de touche de l'esprit.

MASCARILLE

Écoutez donc.

MAGDELON

Nous y sommes de toutes nos oreilles.

MASCARILLE

Oh, oh ! je n'y prenais pas garde :
Tandis que, sans songer à mal, je vous regarde,
Votre œil en tapinois me dérobe mon cœur.
Au voleur, au voleur, au voleur, au voleur[35] *!*

CATHOS

Ah ! mon Dieu ! voilà qui est poussé dans le dernier galant.

MASCARILLE

Tout ce que je fais a l'air cavalier[36] ; cela ne sent point le pédant.

MAGDELON

Il en est éloigné de plus de deux mille lieues.

MASCARILLE

Avez-vous remarqué ce commencement : *Oh, oh?*
Voilà qui est extraordinaire : *oh, oh!* Comme un homme
qui s'avise tout d'un coup : *oh, oh!* La surprise : *oh, oh!*

MAGDELON

Oui, je trouve ce *oh, oh!* admirable.

MASCARILLE

Il semble que cela ne soit rien.

CATHOS

Ah! mon Dieu, que dites-vous? Ce sont là de ces
sortes de choses qui ne se peuvent payer.

MAGDELON

Sans doute; et j'aimerais mieux avoir fait ce *oh, oh!*
qu'un poème épique[37].

MASCARILLE

Tudieu[38]! vous avez le goût bon.

MAGDELON

Eh! je ne l'ai pas tout à fait mauvais.

MASCARILLE

Mais n'admirez-vous pas aussi *je n'y prenais pas garde?*
Je n'y prenais pas garde, je ne m'apercevais pas de cela :
façon de parler naturelle, *je n'y prenais pas garde. Tandis
que sans songer à mal*, tandis qu'innocemment, sans
malice, comme un pauvre mouton, *je vous regarde*, c'est-

à-dire, je m'amuse à vous considérer, je vous observe, je vous contemple. *Votre œil en tapinois…* Que vous semble de ce mot *tapinois*? n'est-il pas bien choisi[39]?

CATHOS

Tout à fait bien.

MASCARILLE

Tapinois, en cachette : il semble que ce soit un chat qui vienne de prendre une souris : *tapinois*.

MAGDELON

Il ne se peut rien de mieux.

MASCARILLE

Me dérobe mon cœur, me l'emporte, me le ravit. *Au voleur, au voleur, au voleur!* Ne diriez-vous pas que c'est un homme qui crie et court après un voleur pour le faire arrêter? *Au voleur, au voleur, au voleur, au voleur!*

MAGDELON

Il faut avouer que cela a un tour spirituel et galant.

MASCARILLE

Je veux vous dire l'air que j'ai fait dessus.

CATHOS

Vous avez appris la musique?

MASCARILLE

Moi? Point du tout.

CATHOS

Et comment donc cela se peut-il?

MASCARILLE

Les gens de qualité savent tout sans avoir jamais rien appris[40].

MAGDELON

Assurément, ma chère.

MASCARILLE

Écoutez si vous trouverez l'air à votre goût[41]. *Hem, hem. La, la, la, la, la.* La brutalité de la saison a furieusement outragé la délicatesse de ma voix ; mais il n'importe, c'est à la cavalière.

(Il chante :)

Oh, oh ! je n'y prenais pas...   [*etc.* 1734]

CATHOS

Ah ! que voilà un air qui est passionné ! Est-ce qu'on n'en meurt point ?

MAGDELON

Il y a de la chromatique[42] là-dedans.

MASCARILLE

Ne trouvez-vous pas la pensée bien exprimée dans le chant ? *Au voleur !...* Et puis, comme si l'on criait bien fort : *au, au, au, au, au, au voleur !* Et tout d'un coup, comme une personne essoufflée : *au voleur !*

MAGDELON

C'est là savoir le fin des choses, le grand fin, le fin du fin[43]. Tout est merveilleux, je vous assure ; je suis enthousiasmée de l'air et des paroles.

CATHOS

Je n'ai encore rien vu de cette force-là[44].

MASCARILLE

Tout ce que je fais me vient naturellement, c'est sans étude.

MAGDELON

La nature vous a traité en vraie mère passionnée, et vous en êtes l'enfant gâté.

MASCARILLE

À quoi donc passez-vous le temps?

CATHOS

À rien du tout.

MAGDELON

Nous avons été jusqu'ici dans un jeûne effroyable de divertissements.

MASCARILLE

Je m'offre à vous mener un de ces jours à la comédie, si vous voulez[45]; aussi bien on en doit jouer une nouvelle que je serai bien aise que nous voyions ensemble.

MAGDELON

Cela n'est pas de refus.

MASCARILLE

Mais je vous demande d'applaudir comme il faut, quand nous serons là; car je me suis engagé de faire valoir la pièce, et l'auteur m'en est venu prier encore ce matin. C'est la coutume ici qu'à nous autres, gens de condition, les auteurs viennent lire leurs pièces nouvelles, pour nous engager à les trouver belles, et leur donner de la réputation[46]; et je vous laisse à penser si, quand nous lisons quelque chose, le parterre ose nous contredire. Pour moi, j'y suis fort exact; et quand j'ai promis à quelque poëte, je crie toujours : «Voilà qui est beau», devant que[47] les chandelles soient allumées.

MAGDELON

Ne m'en parlez point : c'est un admirable lieu que Paris; il s'y passe cent choses tous les jours qu'on ignore dans les provinces, quelque spirituelle qu'on puisse être.

CATHOS

C'est assez : puisque nous sommes instruites, nous ferons notre devoir de nous récrier comme il faut sur tout ce qu'on dira.

MASCARILLE

Je ne sais si je me trompe, mais vous avez toute la mine[48] d'avoir fait quelque comédie[49].

MAGDELON

Eh ! il pourrait être quelque chose de ce que vous dites.

MASCARILLE

Ah ! ma foi, il faudra que nous la voyions. Entre nous, j'en ai composé une que je veux faire représenter.

CATHOS

Hé, à quels comédiens la donnerez-vous ?

MACARILLE

Belle demande ! Aux grands comédiens[50]. Il n'y a qu'eux qui soient capables de faire valoir les choses ; les autres sont des ignorants qui récitent comme l'on parle ; ils ne savent pas faire ronfler les vers, et s'arrêter au bel endroit[51] : et le moyen de connaître où est le beau vers, si le comédien ne s'y arrête et ne vous avertit par là qu'il faut faire le brouhaha[52] ?

CATHOS

En effet, il y a manière de faire sentir aux auditeurs les beautés d'un ouvrage ; et les choses ne valent que ce qu'on les fait valoir.

MASCARILLE

Que vous semble de ma petite oie[53] ? La trouvez-vous congruante[54] à l'habit ?

CATHOS

Tout à fait.

MASCARILLE

Le ruban est bien choisi.

MAGDELON

Furieusement bien. C'est Perdrigeon[55] tout pur.

MASCARILLE

Que dites-vous de mes canons ?

MAGDELON

Ils ont tout à fait bon air.

MASCARILLE

Je puis me vanter au moins qu'ils ont un grand quartier[56] plus que tous ceux qu'on fait.

MAGDELON

Il faut avouer que je n'ai jamais vu porter si haut l'élégance de l'ajustement.

MASCARILLE

Attachez un peu sur ces gants la réflexion de votre odorat[57].

MAGDELON

Ils sentent terriblement bon.

CATHOS

Je n'ai jamais respiré une odeur mieux conditionnée.

MASCARILLE

Et celle-là?

> [*Il donne à respirer les cheveux poudrés de sa perruque.* 1682, 1734]

MAGDELON

Elle est tout à fait de qualité ; le sublime[58] en est touché délicieusement.

MASCARILLE

Vous ne me dites rien de mes plumes[59] : comment les trouvez-vous ?

CATHOS

Effroyablement belles.

MASCARILLE

Savez-vous que le brin me coûte un louis d'or[60] ? Pour moi, j'ai cette manie de vouloir donner généralement sur tout ce qu'il y a de plus beau.

MAGDELON

Je vous assure que nous sympathisons vous et moi : j'ai une délicatesse furieuse pour tout ce que je porte ; et jusqu'à mes chaussettes[61], je ne puis rien souffrir qui ne soit de la bonne ouvrière.

MASCARILLE, *s'écriant brusquement.*

Ahi, ahi, ahi ! doucement ! Dieu me damne, Mesdames, c'est fort mal en user ; j'ai à me plaindre de votre procédé : cela n'est pas honnête.

CATHOS

Qu'est-ce donc ? qu'avez-vous ?

MASCARILLE

Quoi ? toutes deux contre mon cœur en même temps ! m'attaquer à droit[62] et à gauche ! Ah ! c'est contre le droit des gens ; la partie n'est pas égale ; et je m'en vais crier au meurtre.

CATHOS

Il faut avouer qu'il dit les choses d'une manière particulière.

MAGDELON

Il a un tour admirable dans l'esprit.

CATHOS

Vous avez plus de peur que de mal, et votre cœur
crie avant qu'on l'écorche.

MASCARILLE

Comment, diable! il est écorché depuis la tête jusqu'aux pieds.

SCÈNE X

MAROTTE, MASCARILLE, CATHOS, MAGDELON

MAROTTE

Madame, on demande à vous voir.

MAGDELON

Qui?

MAROTTE

Le vicomte de Jodelet.

MASCARILLE

Le vicomte de Jodelet?

MAROTTE

Oui, Monsieur.

CATHOS

Le connaissez-vous?

MASCARILLE

C'est mon meilleur ami.

MAGDELON

Faites entrer vitement[1].

MASCARILLE

Il y a quelque temps que nous ne nous sommes vus,
et je suis ravi de cette aventure.

CATHOS

Le voici.

SCÈNE XI

JODELET, MASCARILLE, CATHOS, MAGDELON, MAROTTE
[, ALMANZOR. 1734]

MASCARILLE

Ah ! vicomte !

JODELET, *s'embrassant l'un l'autre*[1].

Ah ! marquis !

MASCARILLE

Que je suis aise de te rencontrer !

JODELET

Que j'ai de joie de te voir ici !

MASCARILLE

Baise-moi donc encore un peu, je te prie.

MAGDELON [*à Cathos*. 1734]

Ma toute bonne, nous commençons d'être connues ;
voilà le beau monde qui prend le chemin de nous venir
voir.

MASCARILLE

Mesdames, agréez que je vous présente ce gentil-homme-ci ; sur ma parole, il est digne d'être connu de vous.

JODELET

Il est juste de venir vous rendre ce qu'on vous doit ; et vos attraits exigent leurs **droits** seigneuriaux sur toutes sortes de personnes.

MAGDELON

C'est pousser vos civilités jusqu'aux derniers confins de la flatterie.

CATHOS

Cette journée doit être marquée dans notre alma-nach comme une journée bienheureuse.

MAGDELON

Allons, petit garçon, faut-il toujours vous répéter les choses ? Voyez-vous pas[2] qu'il faut le surcroît d'un fauteuil ?

MASCARILLE

Ne vous étonnez pas de voir le Vicomte de la sorte : il ne fait que sortir d'une maladie qui lui a rendu le visage pâle comme vous le voyez[3].

JODELET

Ce sont fruits des veilles de la cour, et des fatigues de la guerre.

MASCARILLE

Savez-vous, Mesdames, que vous voyez dans le Vicomte un des plus vaillants hommes du siècle ? C'est un brave à trois poils[4].

JODELET

Vous ne m'en devez rien, Marquis ; et nous savons ce que vous savez faire aussi.

MASCARILLE

Il est vrai que nous nous sommes vus tous deux dans l'occasion[5].

JODELET

Et dans des lieux où il faisait fort chaud.

MASCARILLE, *les regardant toutes deux.*

Oui ; mais non pas si chaud qu'ici. Hai, hai, hai !

JODELET

Notre connaissance s'est faite à l'armée ; et la première fois que nous nous vîmes, il commandait un régiment de cavalerie sur les galères de Malte[6].

MASCARILLE

Il est vrai ; mais vous étiez pourtant dans l'emploi avant que j'y fusse ; et je me souviens que je n'étais que petit officier encore, que vous commandiez deux mille chevaux.

JODELET

La guerre est une belle chose ; mais, ma foi, la cour récompense bien mal aujourd'hui les gens de service[7] comme nous.

MASCARILLE

C'est ce qui fait que je veux pendre l'épée au croc.

CATHOS

Pour moi, j'ai un furieux tendre pour les hommes d'épée.

MAGDELON

Je les aime aussi ; mais je veux que l'esprit assaisonne[8] la bravoure.

MASCARILLE

Te souvient-il, Vicomte, de cette demi-lune[9] que nous emportâmes sur les ennemis au siège d'Arras[10] ?

JODELET

Que veux-tu dire avec ta demi-lune ? C'était bien une lune tout entière[11].

MASCARILLE

Je pense que tu as raison.

JODELET

Il m'en doit bien souvenir, ma foi : j'y fus blessé à la jambe d'un coup de grenade, dont je porte encore les marques. Tâtez un peu, de grâce ; vous sentirez quelque coup, c'était là.

CATHOS [, *après avoir touché l'endroit.* 1734]

Il est vrai que la cicatrice est grande.

MASCARILLE

Donnez-moi un peu votre main, et tâtez celui-ci, là, justement au derrière de la tête : y êtes-vous ?

MAGDELON

Oui : je sens quelque chose.

MASCARILLE

C'est un coup de mousquet[12] que je reçus la dernière campagne que j'ai faite.

JODELET [,*découvrant sa poitrine.* 1734]

Voici un autre coup qui me perça de part en part à
l'attaque de Gravelines[13].

MASCARILLE, *mettant la main*
sur le bouton de son haut-de-chausses.

Je vais vous montrer une furieuse plaie.

MAGDELON

Il n'est pas nécessaire : nous le croyons sans y
regarder.

MASCARILLE

Ce sont des marques honorables, qui font voir ce
qu'on est.

CATHOS

Nous ne doutons point de ce que vous êtes[14].

MASCARILLE

Vicomte, as-tu là ton carrosse[15] ?

JODELET

Pourquoi ?

MASCARILLE

Nous mènerions promener ces Dames hors des portes[16], et leur donnerions un cadeau[17].

MAGDELON

Nous ne saurions sortir aujourd'hui.

MASCARILLE

Ayons donc les violons pour danser.

JODELET

Ma foi, c'est bien avisé.

MAGDELON

Pour cela, nous y consentons ; mais il faut donc quelque surcroît de compagnie.

MASCARILLE

Holà ! Champagne, Picard, Bourguignon, Casquaret, Basque, la Verdure, Lorrain, Provençal, la Violette[18] ! Au diable soient tous les laquais ! Je ne pense pas qu'il y ait gentilhomme en France plus mal servi que moi. Ces canailles me laissent toujours seul.

MAGDELON

Almanzor, dites aux gens de Monsieur qu'ils aillent quérir des violons, et nous faites venir ces Messieurs et ces Dames d'ici près, pour peupler la solitude de notre bal.

[*Almanzor sort.* 1734]

MASCARILLE

Vicomte, que dis-tu de ces yeux ?

JODELET

Mais toi-même, Marquis, que t'en semble ?

MASCARILLE

Moi, je dis que nos libertés auront peine à sortir d'ici les braies nettes[19]. Au moins, pour moi, je reçois d'étranges secousses, et mon cœur ne tient plus qu'à un filet.

MAGDELON

Que tout ce qu'il dit est naturel ! Il tourne les choses le plus agréablement du monde.

CATHOS

Il est vrai qu'il fait une furieuse dépense en esprit.

MASCARILLE

Pour vous montrer que je suis véritable[20], je veux faire un impromptu là-dessus.

[*Il médite.* 1682, 1734]

CATHOS

Eh ! je vous en conjure de toute la dévotion de mon cœur : que nous ayons quelque chose qu'on ait fait pour nous.

JODELET

J'aurais envie d'en faire autant ; mais je me treuve[21] un peu incommodé de la veine poétique, pour la quantité des saignées que j'y ai faites ces jours passés.

MASCARILLE

Que diable est cela ? Je fais toujours bien le premier vers ; mais j'ai peine à faire les autres. Ma foi, ceci est

un peu trop pressé ; je vous ferai un impromptu à loisir[22], que vous trouverez le plus beau du monde.

JODELET

Il a de l'esprit comme un démon.

MAGDELON

Et du galant, et du bien tourné.

MASCARILLE

Vicomte, dis-moi un peu, y a-t-il longtemps que tu
n'as vu la Comtesse ?

JODELET

Il y a plus de trois semaines que je ne lui ai rendu
visite.

MASCARILLE

Sais-tu bien que le Duc m'est venu voir ce matin, et
m'a voulu mener à la campagne courir un cerf avec
lui ?

MAGDELON

Voici nos amies qui viennent.

SCÈNE XII

JODELET, MASCARILLE, CATHOS, MAGDELON, MAROTTE,
LUCILE

[CÉLIMÈNE. 1682. ALMANZOR, VIOLONS. 1734]

MAGDELON

Mon Dieu, mes chères, nous vous demandons pardon. Ces Messieurs ont eu fantaisie de nous donner les âmes des pieds[1]; et nous vous avons envoyé quérir pour remplir les vides de notre assemblée.

LUCILE

Vous nous avez obligées, sans doute[2].

MASCARILLE

Ce n'est ici qu'un bal à la hâte; mais l'un de ces jours nous vous en donnerons un dans les formes. Les violons sont-ils venus?

ALMANZOR

Oui, Monsieur; ils sont ici.

CATHOS

Allons donc, mes chères, prenez place.

MASCARILLE,
dansant lui seul comme par prélude.

La, la, la, la, la, la, la, la.

MAGDELON

Il a tout à fait la taille élégante.

CATHOS

Et a la mine de danser proprement[3].

MASCARILLE, *ayant pris Magdelon.*

Ma franchise va danser la courante[4] aussi bien que mes pieds. En cadence, violons, en cadence ! Oh ! quels ignorants ! Il n'y a pas moyen de danser avec eux. Le diable vous emporte ! ne sauriez-vous jouer en mesure ? La, la, la, la, la, la, la, la. Ferme, ô violons de village.

JODELET, *dansant ensuite.*

Holà ! ne pressez pas si fort la cadence : je ne fais que sortir de maladie.

SCÈNE XIII

DU CROISY, LA GRANGE, MASCARILLE, JODELET, ETC.

LA GRANGE
[, *un bâton à la main.* 1682, 1734]

Ah ! ah ! coquins, que faites-vous ici ? Il y a trois heures que nous vous cherchons.

MASCARILLE, *se sentant battre.*

Ahy ! ahy ! ahy ! vous ne m'aviez pas dit que les coups en seraient aussi.

JODELET

Ahy ! ahy ! ahy !

LA GRANGE

C'est bien à vous, infâme que vous êtes, à vouloir faire l'homme d'importance.

DU CROISY

Voilà qui vous apprendra à vous connaître[1].

(Ils sortent.)

SCÈNE XIV

MASCARILLE, JODELET, CATHOS, MAGDELON, ETC.

MAGDELON

Que veut donc dire ceci ?

JODELET

C'est une gageure.

CATHOS

Quoi ! vous laisser battre de la sorte !

MASCARILLE

Mon Dieu, je n'ai pas voulu faire semblant de rien ; car je suis violent, et je me serais emporté.

MAGDELON

Endurer un affront comme celui-là, en notre présence !

MASCARILLE

Ce n'est rien : ne laissons pas d'achever. Nous nous connaissons il y a longtemps ; et entre amis, on ne va pas se piquer pour si peu de chose.

SCÈNE XV

DU CROISY, LA GRANGE, MASCARILLE, JODELET, MAGDELON, CATHOS, ETC.

LA GRANGE

Ma foi, marauds, vous ne vous rirez pas de nous, je vous promets. Entrez, vous autres.

[Trois ou quatre spadassins entrent. 1682, 1734]

MAGDELON

Quelle est donc cette audace, de venir nous troubler de la sorte dans notre maison?

DU CROISY

Comment, Mesdames, nous endurerons que nos laquais soient mieux reçus que nous? qu'ils viennent vous faire l'amour à nos dépens, et vous donnent le bal?

MAGDELON

Vos laquais?

LA GRANGE

Oui, nos laquais : et cela n'est ni beau ni honnête de nous les débaucher comme vous faites.

MAGDELON

Ô Ciel! quelle insolence!

LA GRANGE

Mais ils n'auront pas l'avantage de se servir de nos habits pour vous donner dans la vue ; et si vous les voulez aimer, ce sera, ma foi, pour leurs beaux yeux. Vite, qu'on les dépouille sur-le-champ.

JODELET

Adieu notre braverie[1].

MASCARILLE

Voilà le marquisat et la vicomté à bas.

DU CROISY

Ha ! ha ! coquins, vous avez l'audace d'aller sur nos brisées ! Vous irez chercher autre part de quoi vous rendre agréables aux yeux de vos belles, je vous en assure.

LA GRANGE

C'est trop que de nous supplanter, et de nous supplanter avec nos propres habits.

MASCARILLE

Ô Fortune, quelle est ton inconstance[2].

DU CROISY

Vite, qu'on leur ôte jusqu'à la moindre chose[3].

LA GRANGE

Qu'on emporte toutes ces hardes[4], dépêchez. Maintenant, Mesdames, en l'état qu'ils sont, vous pouvez continuer vos amours avec eux tant qu'il vous plaira ; nous vous laissons toute sorte de liberté pour cela, et nous vous protestons, Monsieur et moi, que nous n'en serons aucunement jaloux.

CATHOS

Ah ! quelle confusion !

MAGDELON

Je crève de dépit.

VIOLONS, *au Marquis.*

Qu'est-ce donc que ceci ? Qui nous payera, nous autres ?

MASCARILLE

Demandez à Monsieur le Vicomte.

VIOLONS, *au Vicomte.*

Qui est-ce qui nous donnera de l'argent ?

JODELET

Demandez à Monsieur le Marquis.

SCÈNE XVI

GORGIBUS, MASCARILLE, JODELET, MAGDELON, ETC.

GORGIBUS

Ah ! coquines que vous êtes, vous nous mettez dans de beaux draps blancs, à ce que je vois ! et je viens d'apprendre de belles affaires, vraiment, de ces Messieurs qui sortent !

MAGDELON

Ah ! mon père, c'est une pièce sanglante[1] qu'ils nous ont faite.

GORGIBUS

Oui, c'est une pièce sanglante, mais qui est un effet de votre impertinence, infâmes! Ils se sont ressentis du traitement que vous leur avez fait; et cependant, malheureux que je suis, il faut que je boive l'affront.

MAGDELON

Ah! je jure que nous en serons vengées, ou que je mourrai en la peine. Et vous, marauds, osez-vous vous tenir ici après votre insolence?

MASCARILLE

Traiter comme cela un marquis! Voilà ce que c'est que du monde! la moindre disgrâce nous fait mépriser de ceux qui nous chérissaient[2]. Allons, camarade, allons chercher fortune autre part : je vois bien qu'on n'aime ici que la vaine apparence, et qu'on n'y considère point la vertu toute nue[3].

(Ils sortent tous deux.)

SCÈNE XVII

GORGIBUS, MAGDELON, CATHOS, VIOLONS

VIOLONS

Monsieur, nous entendons que vous nous contentiez à leur défaut pour ce que nous avons joué ici.

GORGIBUS, *les battant.*

Oui, oui, je vous vais contenter, et voici la monnaie dont je vous veux payer. Et vous, pendardes, je ne sais qui me tient que je ne vous en fasse autant. Nous allons servir de fable et de risée à tout le monde, et voilà ce que vous vous êtes attiré par vos extravagances. Allez vous cacher, vilaines ; allez vous cacher pour jamais. Et vous, qui êtes cause de leur folie, sottes billevesées, pernicieux amusements des esprits oisifs, romans, vers, chansons, sonnets et sonnettes[1], puissiez-vous être à tous les diables !

DOSSIER

CHRONOLOGIE
1622-1673

1622. *15 janvier* : baptême à Saint-Eustache de Jean, fils de Jean
Poquelin, marchand tapissier, et de Marie Cressé. Bien que
l'acte de baptême le prénomme Jean, l'enfant sera appelé
Jean-Baptiste. Le pseudonyme de Molière, inexpliqué,
apparaîtra en 1644.

1632. *11 mai* : Marie Cressé est inhumée au cimetière des Inno-
cents : Molière a dix ans. Après une année de veuvage, Jean
Poquelin se remarie avec Catherine Fleurette. Elle meurt
trois ans plus tard, le 12 novembre 1636. Jean Poquelin ne
se remariera pas.

1635-1639. Élève des jésuites au collège de Clermont (lycée
Louis-le-Grand), Jean-Baptiste Poquelin suivit avec succès,
« en cinq années de temps », précise Grimarest dans sa *Vie
de M. de Molière* (1705), ses classes d'humanités et de philosophie.

1640. Grâce au témoignage malveillant mais précis de Le Boul-
langer de Chalussay, l'auteur d'*Élomire hypocondre* (1670 ;
Élomire est l'anagramme de Molière), nous savons que
J.-B. Poquelin, « en quarante, ou quelque peu avant », alla
prendre ses « licences » en droit à Orléans où, « moyennant
[...] pécune », il fut « endoctoré », ce qui lui permit de se
faire avocat. Il abandonna le barreau après cinq ou six
mois pour devenir comédien. Un grand-père, sans doute
Louis Cressé, lui aurait fait découvrir assez tôt le plaisir du
théâtre (Grimarest) ; au cours de ses humanités, son goût
de la poésie dramatique se serait fortifié (*Préface* de 1682) ;
il est probable enfin qu'au regard d'un jeune homme de
vingt ans, la beauté épanouie et l'indépendance d'une

jeune comédienne au talent affirmé comme Madeleine Béjart (elle était son aînée de quatre ans) ont paré l'aventure théâtrale d'une puissante séduction.

1643. *30 juin* : au domicile de Marie Hervé, veuve Béjart, un contrat de société est signé entre Denis Beys, Germain Clérin, Jean-Baptiste Poquelin, Joseph Béjart, Nicolas Bonnenfant, Georges Pinel, Madeleine Béjart, Madeleine Malingre, Catherine des Urlis et Geneviève Béjart, lesquels « s'unissent et se lient ensemble pour l'exercice de la comédie à fin de conservation de leur troupe sous le titre de l'Illustre Théâtre ».

12 septembre : l'Illustre Théâtre loue, avec un bail de trois ans, le jeu de paume des Métayers, faubourg Saint-Germain, entre la rue de Seine et la rue des Fossés-de-Nesle (devenue rue Mazarine).

1644-1645. L'Illustre Théâtre a ouvert le 1er janvier 1644. En dépit d'un répertoire riche de nouveautés, les recettes ne suffisent pas à couvrir les dépenses engagées. Le 19 décembre 1644, le bail du jeu de paume des Métayers est résilié, et un nouveau bail est signé le même jour pour la location du jeu de paume de la Croix-Noire, rue des Barrés, paroisse Saint-Paul. Au lieu du succès attendu, les comédiens doivent faire face aux poursuites des créanciers. À la fin du mois de juillet et dans les premiers jours d'août, Molière, qui fait alors figure de responsable de la troupe, est retenu à deux reprises au Châtelet pour dettes et libéré sous caution. Le 20 septembre 1645, une sentence du Châtelet condamne les comédiens à payer sans délai les sommes dues au propriétaire du jeu de paume de la Croix-Noire. C'était la fin de l'Illustre Théâtre. Le règlement des dettes demanda plusieurs années, et Jean Poquelin, en plusieurs occasions, aida son fils à désintéresser les créanciers : quoi qu'on en ait dit, le père de Molière n'avait rien d'un Harpagon.

1646-1651. Molière a quitté Paris à la fin de 1645. Bientôt suivi de Madeleine Béjart et des autres comédiens de la famille, il rejoint la troupe du duc d'Épernon, gouverneur de Guyenne, dirigée par Charles Dufresne. La troupe, qui évolue pour l'ordinaire dans le Sud-Ouest, remonte jusqu'à Nantes et Rennes en 1646 ; en octobre 1647, sa présence est attestée à Carcassonne, à Toulouse et à Albi ; en avril-mai 1648, elle est de nouveau à Nantes ; en 1650, elle joue à Narbonne, Agen, Toulouse et Pézenas, où se tiennent les États de Languedoc.

1652-1653. À partir de 1652, il se confirme que la troupe a choisi d'orienter ses activités vers le Sud-Est et la vallée du Rhône, autour des deux pôles que constituent les villes de Lyon et de Pézenas. À cette date, le duc d'Épernon a cessé de patronner les comédiens ; il est probable que Molière a succédé à Charles Dufresne à la tête de la troupe.

1653. *Septembre* : la troupe de Molière obtient de jouer devant le prince de Conti, frère du grand Condé. Pendant trois ans, les comédiens jouiront de la protection du prince, porteront son nom et participeront avec profit, chaque année, aux réjouissances qui accompagnent la tenue des États de Languedoc.

1655. Première représentation, à Lyon, de *L'Étourdi*.

1656. *Décembre* : *Le Dépit amoureux*, deuxième comédie en cinq actes et en vers de Molière, est représenté pour la première fois à Béziers, où se tiennent les États de Languedoc.

1657. La conversion du prince de Conti prive la troupe de Molière d'un protecteur puissant et d'une pension importante.

1658. Molière et sa troupe passent l'hiver à Lyon et sont à Grenoble pour les fêtes de carnaval. Mais après Pâques, les comédiens se dirigent vers Rouen, où ils s'établissent pour l'été en attendant de pouvoir regagner Paris.
Octobre : Molière et ses comédiens, revenus à Paris, obtiennent la protection de Monsieur, frère du roi.
24 octobre : dans la salle des gardes du Vieux-Louvre, Molière interprète devant le roi et la cour *Nicomède* de Corneille (alors âgé de cinquante-deux ans) et « un de ces petits divertissements qui lui avaient acquis quelque réputation et dont il régalait les provinces » (*Préface* de 1682). *Le Docteur amoureux* (texte perdu) plut au roi, qui accorda à la troupe de Monsieur la salle du Petit-Bourbon, en alternance avec les comédiens italiens.

1659. Départ des Italiens. Molière occupe seul la salle du Petit-Bourbon.
18 novembre : *Les Précieuses ridicules*, données à la suite de *Cinna*, reçoivent un accueil favorable ; le succès s'affirme à partir de la deuxième représentation (2 décembre), où le

prix des places est doublé ; la pièce restera à l'affiche jusqu'à la clôture de Pâques et au-delà.

1660. *28 mai* : première représentation de *Sganarelle ou le Cocu imaginaire*, et nouveau succès : la pièce est jouée sans interruption pendant trois mois pour un total de 34 représentations.

11 octobre : début des travaux de démolition de la salle du Petit-Bourbon, en vue de l'édification de la colonnade du Louvre. Les comédiens obtiennent la salle du Palais-Royal.

1661. *4 février* : première représentation de *Dom Garcie de Navarre* au Palais-Royal ; la pièce est accompagnée d'une petite farce, *Gorgibus dans le sac*. Au terme de sept représentations, la recette tombe à 70 livres et la pièce est retirée.

24 juin : première de *L'École des maris*, dont le succès croissant efface l'échec de *Dom Garcie*.

17 août : première représentation des *Fâcheux* à Vaux-le-Vicomte, dans le château du surintendant des finances Foucquet, trois semaines avant l'arrestation de celui-ci, en présence du roi et de la cour. La pièce est jouée avec succès au Palais-Royal à partir du 4 novembre 1661 et restera à l'affiche jusqu'à la fin de février 1662.

1662. *9 janvier* : de retour à Paris, les comédiens italiens partagent avec la troupe de Molière la salle du Palais-Royal, comme ils avaient partagé celle du Petit-Bourbon en 1659-1660 ; mais ils ont perdu le privilège de jouer les jours « ordinaires », le mardi, le vendredi et le dimanche, dont Molière s'est réservé l'usage depuis leur départ et qui sont jours d'ouverture pour les troupes rivales de l'Hôtel de Bourgogne et du Marais ; les Italiens doivent donc se contenter des jours « extraordinaires » (lundi, mercredi, jeudi, samedi), qui sont considérés comme moins favorables.

20 février : mariage de Molière et d'Armande Béjart en l'église de Saint-Germain-l'Auxerrois. L'époux, qui a passé le cap de la quarantaine, a vingt ans de plus que sa jeune femme. Armande était officiellement la jeune sœur de Madeleine, et plus vraisemblablement sa fille. Si, sur ce point discuté, les affirmations tardives de Boileau et de Grimarest ne font pas preuve (voir G. Mongrédien, *Recueil des textes...*, p. 160 et p. 758), du moins donnent-elles quelque consistance à une rumeur que les ennemis de Molière, à l'époque, n'ont pas manqué d'exploiter dans un sens calom-

nieux en suggérant l'inceste. Armande donnera trois enfants à Molière, dont seule survivra une fille, Esprit-Madeleine.
26 décembre : première de *L'École des femmes* au Palais-Royal. La pièce est à l'affiche jusqu'à la clôture de Pâques (31 représentations) ; elle poursuivra sa carrière en compagnie de *La Critique de l'École des femmes* du 1er juin au 12 août (33 représentations). Succès éclatant.

1663. *1er juin* : première représentation au Palais-Royal de *La Critique de l'École des femmes*, associée à *L'École des femmes*. Armande (Mlle Molière) fait ses débuts dans le rôle d'Élise.
11-21 octobre : Molière et sa troupe sont à Versailles. La première représentation de *L'Impromptu* a lieu entre le 16 et le 21 octobre, peut-être le 19. Présentée au public parisien sur la scène du Palais-Royal le 4 novembre, la pièce sera jouée régulièrement jusqu'à la fin du mois de décembre, associée à une pièce plus longue.

1664. *29 janvier* : première représentation au Louvre du *Mariage forcé*, deuxième comédie-ballet de Molière. La pièce, avec les intermèdes dansés, est reprise sur la scène du Palais-Royal à partir du 15 février. Quatre ans plus tard, le 24 février 1668, Molière donnera une version remaniée du *Mariage forcé* : la suppression des entrées de ballet transforme alors la pièce en une petite farce en un acte.
30 avril-13 mai : la troupe de Molière est à Versailles pour les fêtes des *Plaisirs de l'Île enchantée*, dont le duc de Saint-Aignan, à la demande du roi, avait conçu le dessein. *La Princesse d'Élide*, comédie mêlée de chants et de danse, fut représentée au soir de la deuxième journée, le 8 mai. Molière intervint encore à trois reprises dans les réjouissances qui suivirent ces trois jours de fêtes : le 11 mai, par une représentation des *Fâcheux*, le 12 mai, en présentant « trois actes du *Tartuffe* qui étaient les trois premiers » (La Grange, *Registre*) ; le 13 mai enfin, avec *Le Mariage forcé*.
20 juin : les comédiens du Palais-Royal créent *La Thébaïde*, première tragédie d'un jeune auteur de vingt-quatre ans, Racine, avec lequel Molière se brouillera l'année suivante lors de la création d'*Alexandre*.
Début août : premier placet au roi à propos du *Tartuffe* interdit.
29 novembre : la comédie de *Tartuffe*, « parfaite, entière et achevée en cinq actes » (*Préface* de 1682), est représentée à

la demande du prince de Condé chez la princesse Palatine, Anne de Gonzague, dans sa maison du Raincy, près de Paris.

1665. *15 février* : première représentation de *Dom Juan* au Palais-Royal. La recette (1 830 livres) est supérieure à celle de *L'École des femmes* à ses débuts (1 518 livres) ; elle se maintiendra jusqu'à la clôture de Pâques à un bon niveau pendant quinze représentations successives, dépassant même à quatre reprises le cap des 2 000 livres. Quand, à partir du 14 avril, la troupe reprend ses activités, *Dom Juan* n'est plus à l'affiche, sans doute à la suite d'une intervention discrète du pouvoir.

14 août : le roi attache à son service la troupe de Molière et lui accorde une pension de 7 000 livres.

13-17 septembre : la troupe est à Versailles. Création, le 14 septembre, de la comédie-ballet de *L'Amour médecin*. Après avoir diverti le roi, la « comédie des *Médecins* », dont nul n'ignorait qu'elle jouait les premiers médecins de la cour, fit rire le public parisien. La première représentation sur la scène du Palais-Royal, le 22 septembre, fut un gros succès (1 966 livres). La pièce est à l'affiche pendant cinq mois, et elle restera au répertoire de la troupe.

Décembre 1665-février 1666 : Molière est gravement malade.

1666. *4 juin* : première représentation du *Misanthrope* au Palais-Royal (1 447 livres). La pièce est à l'affiche jusqu'au 1er août (21 représentations). Accueil médiocre : « On n'aimait point tout ce sérieux qui est dans cette pièce » (Grimarest).

6 août : première représentation du *Médecin malgré lui* au Palais-Royal, farce en trois actes, qui obtient un vif succès.

1er décembre 1666-20 février 1667 : Molière et ses comédiens participent aux divertissements donnés par le roi au château de Saint-Germain-en-Laye. Pour la troisième entrée du grand *Ballet des Muses* conçu par Benserade, la troupe de Molière interpréta, le 2 décembre, les deux premiers actes d'une « comédie pastorale héroïque » en vers, *Mélicerte*, qui restera inachevée. À partir du 5 janvier, Molière substitua à *Mélicerte* la *Pastorale comique*, que nous connaissons seulement par le résumé présenté dans le livret imprimé du *Ballet des Muses*. Le 14 février, le ballet s'enrichissait d'une quatorzième entrée, pour laquelle Molière avait conçu une petite comédie en prose mêlée de musique et de danse, *Le Sicilien ou l'Amour peintre*.

1667. *10 juin* : première représentation au Palais-Royal du *Sicilien ou l'Amour peintre*, avec les entrées de ballet. La pièce reste à l'affiche jusqu'au 24 juillet (17 représentations, recettes modestes).

5 août : le théâtre du Palais-Royal représente *L'Imposteur*, version remaniée du *Tartuffe* (1 890 livres). La pièce est aussitôt interdite par le premier président du Parlement, M. de Lamoignon, puis par l'archevêque de Paris. Deux comédiens de la troupe, La Grange et La Thorillière, sont dépêchés auprès du roi, qui dirige alors le siège de Lille, pour lui présenter un placet dans lequel Molière sollicite la protection du souverain contre « les Tartuffes » qui le persécutent.

1668. *13 janvier* : première représentation d'*Amphitryon* au théâtre du Palais-Royal (1 668 livres). La pièce est présentée au roi et à la cour aux Tuileries le 16 janvier. Elle est à l'affiche du Palais-Royal jusqu'au relâche de Pâques (29 représentations) et sera plusieurs fois reprise.

18 juillet : dans le cadre du *Grand divertissement royal de Versailles*, Molière et ses comédiens créent la comédie de *George Dandin*, qui s'insérait dans une pastorale chantée et dansée dont Molière avait composé les vers. À partir du 9 novembre, la pièce est jouée sur la scène du Palais-Royal, sans les ornements de la pastorale qui lui servait initialement de cadre (10 représentations).

9 septembre : première représentation de *L'Avare* au Palais-Royal (1 069 livres).

1669. *5 février* : l'autorisation royale permet enfin de présenter *Le Tartuffe* au public. Accueil triomphal et succès prolongé.

27 février : mort du père de Molière.

17 septembre-20 octobre : Molière et ses comédiens sont à Chambord. Ils jouent, entre autres comédies, *Monsieur de Pourceaugnac*, comédie-ballet nouvelle représentée pour la première fois le 6 octobre. La pièce est présentée au public parisien à partir du 15 novembre et sera jouée sans interruption jusqu'au 5 janvier (20 représentations).

1670. *30 janvier-18 février* : Molière et sa troupe sont à Saint-Germain pour les fêtes du carnaval. À la demande du roi, Molière a conçu une comédie-ballet à grand spectacle, *Les Amants magnifiques*, représentée pour la première fois le 4 février.

14 octobre : à Chambord, où la cour prend le divertissement de la chasse, première représentation du *Bourgeois gentil-*

homme. La pièce fut donnée au Palais-Royal à partir du 23 novembre, avec les intermèdes dansés et chantés et le ballet final : grand succès. Jusqu'à la clôture de Pâques, la comédie est jouée sans interruption, et elle sera plusieurs fois reprise par la suite, en 1671 et 1672.

1671. *17 janvier* : dans la grande salle des machines des Tuileries, remise en état pour la circonstance, Molière et ses comédiens interprètent devant le roi et la cour une tragi-comédie mythologique, *Psyché*. Spectacle fastueux, proche de l'opéra. Molière, pressé par le temps, dut faire appel à Quinault pour les paroles destinées à être chantées et à Corneille pour la versification de la majeure partie de la pièce

24 mai : première représentation au Palais-Royal des *Fourberies de Scapin*. La pièce eut un succès médiocre (18 représentations).

24 juillet : première de *Psyché* au Palais-Royal. D'importants travaux de rénovation ont précédé cette représentation. Trois mois durant, du 24 juillet au 25 octobre, la pièce est jouée sans interruption (38 représentations), et son succès est loin d'être épuisé puisque deux séries de représentations (treize du 15 janvier au 6 mars 1672, trente et une du 11 novembre 1672 au 24 janvier 1673) continueront d'assurer des recettes soutenues : avec une recette moyenne de 940 livres sur un total de quatre-vingt-deux représentations publiques, *Psyché* fut la réalisation la plus brillante de la troupe du Palais-Royal et, de toutes les œuvres de Molière, celle que le public a le plus goûtée.

2 décembre : en l'honneur de la nouvelle épouse de Monsieur, Élisabeth-Charlotte de Bavière, princesse Palatine, un ballet rassemblant les plus beaux fragments des ballets dansés antérieurement à la cour, le *Ballet des ballets*, est donné à Saint-Germain. Le spectacle comprenait une comédie, *La Comtesse d'Escarbagnas*, à l'intérieur de laquelle se jouait une pastorale, dont le texte n'a pas été conservé. Molière reprit *La Comtesse d'Escarbagnas* sur la scène du Palais-Royal le 8 juillet 1672, en substituant à la pastorale intérieure, au prix de quelques aménagements, la petite comédie du *Mariage forcé* (elle-même remplacée, en octobre 1672, par *L'Amour médecin*).

1672. *17 février* : mort de Madeleine Béjart ; elle était âgée de cinquante-quatre ans.

11 mars : première représentation des *Femmes savantes* au Palais-Royal (1 735 livres). Si la moyenne des recettes des onze représentations qui ont précédé la clôture de Pâques dépasse 1 100 livres, la reprise fait apparaître un net fléchissement, et la pièce est retirée de l'affiche après le 15 mai, au terme de dix-neuf représentations.

29 mars : rupture avec Lulli, qui avait été le compositeur attitré des comédies-ballets de Molière, de *La Princesse d'Élide* à *La Comtesse d'Escarbagnas*. Molière et sa troupe font opposition au privilège accordant à Lulli l'exclusivité de la musique et du ballet.

1673. *10 février* : première représentation au Palais-Royal du *Malade imaginaire*, comédie-ballet en trois actes. Molière avait fait appel au musicien Charpentier et au maître de ballet Beauchamp. Le succès est éclatant.

17 février : au cours de la quatrième représentation du *Malade imaginaire*, le vendredi 17 février, Molière est pris de malaise sur la scène et a du mal à tenir son rôle jusqu'au bout. Transporté dans sa maison de la rue de Richelieu, il meurt vers les dix heures du soir, étouffé par « le sang qui sortait de sa bouche en abondance » (Grimarest). Il était âgé de cinquante et un ans. La veuve de Molière dut intervenir auprès du roi, puis de l'archevêque de Paris, pour obtenir que le comédien, qui n'avait pu recevoir les derniers sacrements, fût inhumé chrétiennement dans le cimetière de la paroisse Saint-Eustache.

LA CRÉATION DES *PRÉCIEUSES RIDICULES*

Officiellement protégée par Monsieur, frère du roi, la troupe de Molière, depuis son installation à Paris, avait connu une année difficile. Même si le témoignage de Le Boulanger de Chalussay dans *Élomire hypocondre* (1670) peut être suspecté de quelque exagération, il est sûr que le public a boudé les tragédies représentées sur la scène du Petit-Bourbon, quand il ne les a pas sifflées ; et si les représentations de *L'Étourdi* et du *Dépit amoureux*, de l'aveu même de Chalussay, ont trouvé un accueil plus favorable, elles n'assurent qu'exceptionnellement de fortes recettes. C'est donc un directeur de troupe en quête de succès qui choisit de mettre à l'affiche, en novembre 1659, une farce satirique sur un sujet d'actualité, *Les Précieuses ridicules*.

La pièce était-elle de composition récente ? Grimarest (1705), suivi par Voltaire (1739), a affirmé qu'elle fut représentée en province avant d'être reprise à Paris, où elle parut avoir « tout le mérite de la nouveauté ». Mais La Grange, dans son fidèle *Registre*, parle d'une pièce « nouvelle », et la *Préface* de l'édition de 1682 date sans ambiguïté la composition de l'ouvrage : « En 1659, M. de Molière fit la comédie des *Précieuses ridicules*. » Il n'est pas impossible que Molière, au cours de son séjour dans le Midi, ait rencontré des « pecques provinciales » aux façons ridicules, tout comme Chapelle et Bachaumont, au retour d'Encausse, ont pu découvrir à Montpellier, en 1656, une assemblée de « précieuses de campagne » s'évertuant à singer, « avec leurs petites mignardises, leur parler gras et leurs discours extraordinaires », les belles manières des précieuses de la capitale. Peut-être même a-t-il glissé, dans une des petites farces « dont il régalait les provinces » (*Préface* de 1682), un premier crayon qui aurait servi, en quelque sorte, d'étude préparatoire aux *Précieuses* de 1659. Il est à tout le moins vraisemblable que Molière n'a pas attendu son retour dans la capitale pour porter un regard ironique, parmi d'autres formes de ridicule, sur une affectation et des grimaces dont il savait, mieux que n'importe qui, percevoir les virtualités comiques.

Paris lui a permis de prendre la mesure d'une mode qui faisait jaser. Raison suffisante pour porter sur le théâtre un thème qui venait d'offrir à l'abbé de Pure, auteur d'un roman à clef, *La Précieuse ou le Mystère des ruelles* (1656-1658), un succès flatteur. En présentant au public ses *Précieuses ridicules*, Molière pouvait miser sur un vif élan de curiosité.

N'allons pas croire pourtant qu'il ait placé dans cette pièce en un acte de trop hautes ambitions. Comme toutes les « petites comédies » de son répertoire, *Les Précieuses ridicules* ont été conçues pour former un spectacle divertissant destiné à accompagner et à soutenir la représentation d'une « grande pièce ». On se souvient que le 24 octobre 1658, dans la salle des gardes du Vieux-Louvre, Molière avait interprété devant la cour et le roi, à la suite de *Nicomède*, la farce du *Docteur amoureux*, qui « divertit autant qu'elle surprit tout le monde » (*Préface* de 1682). Le mardi 18 novembre 1659, *Les Précieuses ridicules* furent créées après une reprise de *Cinna*, devant un public deux fois plus nombreux qu'à l'ordinaire. Le dimanche précédent, *Le Dépit amoureux* avait fait une recette honorable de 273 livres : avec 553 livres, la première des *Précieuses ridicules*, sans être une réussite éclatante, fut un incontestable succès.

Un demi-siècle plus tard, Grimarest embellira les faits en parlant de « la foule incroyable » qui se serait pressée au Petit-Bourbon « le premier jour » pour découvrir la pièce dans sa nouveauté. Cet accueil triomphal relève de la légende. Nul doute en revanche que le sujet de la comédie ait piqué la curiosité d'une fraction du public mondain, et tout particulièrement les habitués des ruelles, que la satire pouvait légitimement alerter. Au dire de Ménage, qui affirme avoir été présent, avec Chapelain, à la première représentation des *Précieuses*, « tout le cabinet de l'Hôtel de Rambouillet » était là. La présence de la fille cadette de la marquise de Rambouillet, la très précieuse Angélique-Clarisse d'Angennes, comtesse de Grignan (Anacrise dans *Le Grand Cyrus* de Mlle de Scudéry), tendrait à prouver, si l'on veut bien accorder quelque crédit au témoignage tardif du *Menagiana* (1693), que la satire de la préciosité ne

laissait pas indifférente une des figures en vue de la belle société et
« un des originaux » — comprenons : des modèles — de ces précieuses de haute volée auxquelles Tallement des Réaux prévoyait
de consacrer une historiette.

Attaquées sur le théâtre, ou à tout le moins alarmées par une
charge parodique qui exposait la préciosité à la risée du public,
les précieuses, a-t-on dit, trouvèrent un défenseur assez puissant
pour faire interdire la pièce pendant quelques jours. Somaize,
qui a livré cette information dans la seconde partie de son *Grand
dictionnaire historique des précieuses* (1661, p. 77-78), n'a pas dévoilé
l'identité de ce mystérieux « alcôviste de qualité » qui se serait
opposé à Molière, et dont il n'est fait mention nulle part ailleurs.
En l'absence de confirmation, cette affirmation isolée, à supposer qu'elle ne soit pas une invention malveillante, ne livre rien
d'autre que l'écho d'une rumeur.

À s'en tenir aux faits, on constate, d'après le *Registre* de La
Grange, que la représentation des *Précieuses ridicules* fut interrompue à deux reprises, en novembre et en décembre 1659. Pour
expliquer cette double interruption (on ne sait trop laquelle est
visée par Somaize), nul besoin de supposer une interdiction : la
vérité, c'est que Molière et sa troupe ont accordé leurs soins, en
cette fin d'année, à la création de deux pièces ambitieuses, *Oreste et
Pylade* du poète rouennais Coqueteau de La Clairière, et *Zénobie,
reine de Palmyre* de Jean Magnon. Nouvelle preuve, s'il en était
besoin, que la troupe du Petit-Bourbon entend rivaliser avec les
« grands comédiens » de l'Hôtel de Bourgogne dans le registre
noble. Il était raisonnable de penser que ces deux tragédies, dans
leur nouveauté, n'avaient nul besoin de l'appui d'une farce que
Molière destinait à soutenir des pièces déjà connues du public,
comme il l'avait fait, le 18 novembre, avec *Cinna*. Mais *Oreste et
Pylade*, créé le 23 novembre, fut un fiasco, et la pièce dut quitter
l'affiche après trois représentations. Thomas Corneille, qui s'intéressait à l'auteur, ne manqua pas d'imputer l'échec de son compatriote au jeu détestable des comédiens, incapables selon lui de
défendre une pièce forte, et propres tout au plus à divertir le public
par des « bagatelles » comme *Les Précieuses ridicules* (Mongrédien,
Recueil, t. I, p. 114).

Le public, pour sa part, applaudissait aux « bagatelles ». La
reprise des *Précieuses*, le 2 décembre, et les quatre représentations
qui suivirent connurent une forte affluence : la farce, qui accompagnait alors des pièces anciennes (l'*Alcyonée* de Du Ryer, puis

Rodogune, *Le Cid* et *Horace*) attira chez les comédiens de Monsieur, selon le témoignage du gazetier Jean Loret, tant de gens « de toutes qualités »

> *Qu'on n'en vit jamais tant ensemble*
> *Que ces jours passés, ce me semble,*
> *Dans l'Hôtel du Petit-Bourbon […]*
>
> *La Muse historique,*
> lettre du 6 décembre 1659.

En prévision de ce succès, le prix des places avait été doublé. La reprise du 2 décembre rapporta 1 400 livres, et la moyenne des recettes des cinq représentations données entre le 2 et le 9 décembre s'établit à 1 000 livres.

La création de *Zénobie*, le 12 décembre, suspendit pour quelques jours les représentations des *Précieuses*. Devant l'insuccès de la pièce de Magnon, qui fit un four à la quatrième représentation, Molière fut conduit, à partir du 26 décembre, à associer la farce à la tragédie, sans parvenir du reste à sauver le spectacle. Mais *Les Précieuses ridicules* seront jouées à maintes reprises avec succès en association avec diverses pièces, notamment *Le Dépit amoureux* et *L'Étourdi*, au cours de 1660, jusqu'à ce que les travaux de démolition de la salle du Petit-Bourbon (11 octobre 1660) interrompent pour plus de trois mois les activités de la troupe avant son installation dans la salle du Palais-Royal. Au total, du 18 novembre 1659 au 26 octobre 1660, la comédie des *Précieuses* fit l'objet de quarante-quatre représentations publiques et fut donnée plusieurs fois en « visite ». Au cours de cette période, le roi la vit trois fois : à Vincennes le 29 juillet, le 21 octobre au Louvre, et le 26 octobre, au Louvre toujours, dans les appartements du cardinal Mazarin, représentation à l'issue de laquelle la troupe reçut une gratification de 3 000 livres.

Ce vif succès est confirmé par un contemporain, l'obscur François Doneau, dans l'avis *Au Lecteur* d'un médiocre plagiat de *Sganarelle*, *La Cocue imaginaire*, publié en 1660 et réédité en 1662. Rappelant l'engouement suscité par *Les Précieuses ridicules*, l'auteur précise que « l'on est venu à Paris de vingt lieues à la ronde afin d'en avoir le divertissement » et que « ceux qui font profession de galanterie et qui n'avaient pas vu représenter les *Précieuses* d'abord qu'elles commencèrent à faire parler d'elles n'osaient l'avouer sans rougir » (Mongrédien, *Recueil*, t. I, p. 131). Aussi eston en droit de s'étonner que Molière, de son vivant, ait peu souvent repris une pièce qui avait rencontré dans sa nouveauté un succès aussi flatteur. Après l'année 1661, au cours de laquelle *Les Précieuses ridicules* sont encore représentées dix fois, on ne relève plus que deux «visites» en 1662-1663 et trois ultimes reprises en 1666. Comme le prouve le personnage de Climène dans *La Critique de l'École des femmes* (1663), la satire de la préciosité ridicule n'avait pas perdu tout à-propos; mais il faut croire que les outrances de la farce burlesque n'étaient plus exactement accordées au goût du temps. La Fontaine en avait fait la remarque après le spectacle des *Fâcheux* en août 1661 : «Jodelet n'est plus à la mode.» À l'heure où la comédie s'engage sur les voies du naturel, le temps des bouffons est passé, et d'autres emplois s'offrent à Mascarille, Cathos et Magdelon.

LE SUCCÈS D'UNE TROUPE

Contesté dans l'interprétation des rôles sérieux, Molière s'impose dans le comique, et ses détracteurs, Somaize ou Donneau de Visé, ont beau souligner tout ce que son jeu doit à l'imitation des Italiens, Trivelin et Scaramouche, force leur est de reconnaître que le public a fait fête à l'acteur. On a aussi salué comme une nouveauté l'excellence d'une troupe fermement dirigée : «On a vu par son moyen ce qui ne s'était pas encore vu et ce qui ne se verra jamais», observe Segrais; «c'est une troupe accomplie de comédiens formés de sa main, qui ne peut avoir de pareille» (*Segraisiana*, 1721 ; Mongrédien, *Recueil*, t. I, p. 113-114). Molière, dans *L'Impromptu de Versailles*, lèvera le voile sur ce travail collectif dont le spectateur ne perçoit que les effets. Lors de ses débuts au Petit-Bourbon, la troupe comprenait six hommes (Molière, Joseph et Louis Béjart, Charles Dufresne, René Berthelot, dit Du Parc, Edme Villequin, dit De Brie) et quatre femmes (Madeleine Béjart et sa sœur Geneviève, dite Mlle Hervé, Marquise-Thérèse du Parc et Catherine de Brie). À Pâques 1659, la retraite de Charles Dufresne et le départ des Du Parc pour la troupe du Marais (ils reviendront chez Molière l'année suivante) sont compensés par l'arrivée de Jodelet et de son frère L'Espy, de La Grange et des époux Du Croisy. Mais le 25 mai 1659, la troupe perd un de ses anciens compagnons, Joseph Béjart, mort prématurément vers l'âge de 43 ans. C'est donc une troupe en partie renouvelée qui présente, le 18 novembre 1659, *Les Précieuses ridicules*. En attribuant aux personnages de la farce des noms qui désignent plus ou moins directement l'identité des acteurs, Molière apportait au spectacle comique la saveur d'une parade où chaque membre de la troupe, dans un rôle qui semblait fait pour lui, pouvait donner la mesure de son talent.

Molière-Mascarille et Jodelet, farceurs de premier rang, se partageaient la vedette avec Madeleine Béjart (Magdelon) et Catherine de Brie (Cathos). Le nom de Mascarille, qui évoque la tradition italienne du masque (en italien *maschera*), était porté par le valet de Valère dans *Le Dépit amoureux*; mais c'est surtout le rôle brillant du valet de Lélie dans *L'Étourdi* qui a fait de Mascarille, « *fourbum imperator*», une figure comique de premier plan. De *L'Étourdi* aux *Précieuses ridicules*, le personnage s'est modifié. Mais en gardant ce nom de scène qui avait contribué à établir sa réputation d'acteur comique, Molière apportait au public la promesse de la verve, du mouvement et du rire. À l'exemple des comédiens italiens, dont il a médité les leçons, Molière a joué le personnage de Mascarille sous un masque de théâtre. Dans le frontispice gravé par François Chauveau pour l'édition de 1666 des *Œuvres de M. Molière*, le visage ombré de Mascarille révèle le port du masque et donne au personnage splendidement accoutré un air de pantin réjoui. Une preuve plus décisive encore est apportée par le savant hollandais Christian Huygens qui, ayant assisté à une représentation des *Précieuses ridicules* en janvier 1661, a noté que Mascarille était masqué et le vicomte enfariné. Témoignage confirmé par Donneau de Visé dans sa *Réponse à l'Impromptu de Versailles ou la Vengeance des marquis* (1663), où il est dit que Molière « contrefaisait d'abord les marquis avec le masque de Mascarille » avant de les jouer à visage découvert (Molière, *O. C.*, t. I, p. 1106).

Avec Jodelet, la troupe de Molière s'était adjoint un acteur confirmé, qui avait triomphé sur la scène du Marais, au cours des deux décennies précédentes, dans les rôles de valet rusé, vantard, gourmand et poltron. De son vrai nom Julien Bedeau, Jodelet avait créé avec succès le personnage de Cliton dans *Le Menteur* (1643) et *La Suite du Menteur* (1644) de Corneille. C'est pour lui que Scarron conçut le rôle vedette de ses deux premières comédies, *Jodelet ou le Maître valet* (1645) et *Les Trois Dorothées ou le Jodelet souffleté* (1645; la pièce fut rebaptisée *Jodelet duelliste* en 1651). Le *Jodelet astrologue* d'Antoine Le Metel, sieur d'Ouville (1645) et *Le Déniaisé* de Gillet de la Tessonnerie (1647) confirment la vogue de l'acteur. Après les troubles de la Fronde, Jodelet poursuivit sa carrière de farceur sur la scène du Marais, jouant notamment dans *La Comédie sans comédie* de Quinault (1655), le *Jodelet prince ou le Geôlier de soi-même* de Thomas Corneille (1655) et *Le Campagnard* de Gillet de la Tessonnerie (1656). Grand et maigre, il portait barbe et moustache sur un visage couvert de farine, et il tirait de grands effets comiques d'une voix très nasillarde, particularité que Tallemant des Réaux attribuait aux suites d'une « vérole » mal soignée. Né dans les dernières années du XVIᵉ siècle, cet acteur chevronné connut, avec le rôle du vicomte dans *Les Précieuses ridicules*, son dernier grand succès de théâtre. « Cet homme archi-plaisant, cet homme archi-folâtre » (J. Loret) mourut le 26 mars 1660, moins d'un an après son entrée dans la troupe du Petit-Bourbon. Il semble que le rôle fut alors repris par Du Parc, revenu avec sa femme d'une brève escapade au Marais : celui qui avait été le Gros-René du *Dépit amoureux* dut alors donner au personnage du vicomte, par les rondeurs de son physique, une saveur comique renouvelée.

Comme son frère Julien, François Bedeau, dit L'Espy, avait rejoint la troupe de Molière à Pâques 1659. Comédien de moindre envergure, il avait lui aussi passé le cap de la soixantaine : il quittera le théâtre en 1663 et mourra quelques mois plus tard. Il a joué Gorgibus dans *Les Précieuses ridicules* et dans *Sganarelle*, avant d'interpréter le rôle du sage tuteur Ariste dans *L'École des maris*. Le nom de Gorgibus apparaissait dans *La Jalousie du Barbouillé* et dans *Le Médecin volant* : Molière en a fait le représentant d'un type comique hérité de la tradition de la farce, celui du père attaché au passé, bon bourgeois bonhomme ou bourru.

À deux nouveaux venus dans la troupe, La Grange et Du Croisy, Molière a confié le soin d'incarner, à distance de la rusticité de Gorgibus et des afféteries de salon, le naturel de bon ton que requiert la véritable honnêteté. Né en 1635, Charles Varlet, dit le sieur de La Grange, était le fils aîné d'un maître d'hôtel du maréchal de Schomberg, Hector Varlet. Il adopta le nom de sa mère, Marie de La Grange, pour faire carrière de comédien. Outre le rôle de Dom Juan en 1665, cet acteur distingué joua, chez Molière, les personnages de jeunes premiers et d'amoureux : il fut Éraste dans *Les Fâcheux*, Horace dans *L'École des femmes*, Valère dans *Le Tartuffe*, Cléonte dans *Le Bourgeois gentilhomme*, Léandre dans *Les Fourberies de Scapin*, Clitandre dans *Les Femmes savantes*, Cléante dans *Le Malade imaginaire*. À partir de

1664, il remplaça Molière dans la fonction d'orateur de la troupe, chargé de haranguer le public et d'annoncer les spectacles à venir. On lui doit le précieux *Registre* dans lequel sont notées avec précision les activités des comédiens et les recettes de chaque représentation. Détenteur des papiers de Molière, il prépara, en collaboration avec Jean Vivot, l'édition collective de ses *Œuvres*, publiée à Paris en 1682. Jusqu'à sa mort, survenue le 1ᵉʳ mars 1692, La Grange servira avec talent le théâtre de Molière. Samuel Chappuzeau, dans son *Théâtre français* (1674), a fait de l'acteur un portrait élogieux : « Quoique sa taille ne passe guère la médiocre, c'est une taille bien prise, un air libre et dégagé, et sans l'ouïr parler, sa personne plaît beaucoup. Il passe avec justice pour très bon acteur, soit pour le sérieux, soit pour le comique, et il n'y a point de rôle qu'il n'exécute très bien » (Éditions d'aujourd'hui, « Les Introuvables », 1985, p. 135).

Du Croisy, son partenaire dans *Les Précieuses ridicules*, avait fait lui aussi son apprentissage de comédien en province avant d'entrer, avec sa femme, dans la troupe de Molière. Né en 1626, fils du comédien Jean Gassot et beau-frère du célèbre Bellerose, acteur réputé de l'Hôtel de Bourgogne à l'époque de Richelieu, Philibert Gassot, dit Du Croisy, avait de la prestance et un talent assez souple pour être tour à tour poète dans *L'Impromptu de Versailles*, faux dévot dans *Le Tartuffe*, rimeur mondain (Oronte) dans *Le Misanthrope*, maître de philosophie dans *Le Bourgeois gentilhomme* et savant ombrageux (Vadius) dans *Les Femmes savantes*. Il prit sa retraite en 1689 et mourut en 1695.

L'attribution des deux premiers rôles féminins des *Précieuses* se déduit aisément du nom des personnages. Magdelon (prononcer Madelon), diminutif familier de Madeleine, joue par allusion avec le prénom de l'interprète probable du rôle, Madeleine Béjart. Née en janvier 1618, elle avait 41 ans au moment de la création des *Précieuses*. En écho à Magdelon, Cathos (prononcer Catau), diminutif bourgeois de Catherine, renvoie probablement à Catherine Leclerc du Rosay, épouse d'Edme Villequin, dit De Brie. Les De Brie faisaient partie de la troupe de Molière depuis 1650. Née vers 1630, Catherine de Brie était « fort bien faite » selon l'auteur de *La Fameuse Comédienne* (1688), et elle ne rebuta pas un directeur de troupe qui avait, au dire de Grimarest, « assez de penchant pour le sexe ». C'était une comédienne de talent, capable de jouer avec un égal bonheur les façonnières, les hypocrites et les ingénues : elle fut Agnès dans *L'École des femmes*,

Mariane dans *Le Tartuffe*, Armande dans *Les Femmes savantes* et
Bélise dans *Le Malade imaginaire*.

Restent les rôles secondaires de Marotte la servante, du laquais
Almanzor, des deux porteurs de chaise et des voisines qui, dans la
scène XII, sont invitées à participer au bal improvisé par Mascarille. Le nom de Marotte, diminutif populaire de Marie, pourrait
donner à penser que ce rôle modeste de servante était interprété
par Marie Ragueneau, communément appelée Marotte. Avec sa
mère, Marie Brunet, la jeune Marie était restée attachée à la
troupe de Molière depuis la mort de son père, le trop prodigue
pâtissier-poète Cyprien Ragueneau, décédé à Lyon en 1654. Née
en 1639, Marie Ragueneau épousa La Grange en 1672. Elle était
employée à la recette et jouait occasionnellement ces rôles subal-
ternes que l'on nomme, au théâtre, des « utilités ». Le reste de la
distribution nous est inconnu.

À s'en tenir aux premiers rôles, il est remarquable de constater
que la farce, en dépit de ses dimensions modestes, offrait aux prin-
cipaux acteurs la possibilité de déployer leurs mérites propres et
tendait à donner, sous une forme raccourcie, une brillante illustration des qualités d'une troupe partiellement renouvelée, capable
de disputer aux « grands comédiens », dans le domaine du comique
à tout le moins, les suffrages du public parisien. Soigneusement
préparé, le succès des *Précieuses ridicules* ressemble fort à une
démonstration réussie.

L'ÉCUME DU SUCCÈS

C'est une débutante dans la carrière des lettres, Marie-Catherine Desjardins, future Mme de Villedieu, qui sut tirer parti la
première du succès des *Précieuses ridicules* en composant dans la
hâte, sous la forme à la mode d'une relation épistolaire mêlée de
vers, un plaisant compte rendu de la pièce destiné à répondre à la
curiosité d'une dame de qualité, Mme de Morangis. Cette lettre a
naturellement circulé, et Valentin Conrart en a conservé une
copie. À l'insu de l'auteur, le texte fut imprimé, « avec bien des
fautes », écrit Tallemant (cette première édition est perdue). Puis
le libraire Claude Barbin, associé à l'éditeur des *Précieuses ridicules*,
Guillaume de Luyne, en donna une édition avouée par Mlle Desjardins. Publiée au début de 1660, cette version présente d'assez
nombreuses variantes par rapport au texte manuscrit. On ne

demandera pas à ce récit littéraire une exactitude dont la narratrice ne se pique pas, puisqu'elle avoue avoir fait cette relation « sur le rapport d'autrui », alors qu'elle n'avait pas encore vu le spectacle. Par là s'expliquent, notamment dans la présentation des premières scènes, quelques divergences entre le récit et la pièce, et ce n'est pas sans imprudence qu'on a cru pouvoir y reconnaître l'indice de remaniements que Molière aurait apportés à sa comédie à la suite de la première représentation. En revanche, les détails que nous livre le *Récit en prose et en vers de la farce des Précieuses* sur le costume de scène de Mascarille prouvent que l'auteur prenait appui sur une information précise ; et l'on croira volontiers que les quelques mots d'un comique un peu rude qui figurent dans la version manuscrite du *Récit* correspondent à des plaisanteries qui pimentaient les représentations de la farce, mais que la bienséance, qu'il s'agisse de la relation de Mlle Desjardins ou du texte de Molière, interdisait de publier. C'est dire l'intérêt, mais aussi les limites, d'un texte de circonstance, né du succès des *Précieuses ridicules*, qui visait surtout à mettre en valeur la vivacité et l'esprit d'une débutante impatiente de se faire un nom sur la scène littéraire.

Le succès des *Précieuses ridicules* excita aussi l'intérêt d'un libraire peu scrupuleux, Jean Ribou, qui tenta de publier la pièce à partir d'une copie dérobée, en s'autorisant d'un privilège obtenu le 12 janvier 1660 pour l'impression de deux ouvrages, *Les Précieuses ridicules* et *Les Véritables Précieuses*. Molière put intervenir à temps pour faire annuler ce privilège frauduleux et, pour se mettre à couvert des tentatives de piratage, il confia le soin de faire imprimer sa pièce au libraire Guillaume de Luyne, associé pour la circonstance à Charles de Sercy et à Claude Barbin. Les imprimeurs firent diligence puisque l'édition était achevée le 29 janvier.

Les Véritables Précieuses, dont l'impression était prête avant même que le privilège ne fût accordé (l'achevé d'imprimer est du 7 janvier), furent livrées au public avant le texte de Molière ; un deuxième tirage, trois mois plus tard, suivi en septembre d'une « seconde édition, revue, corrigée et augmentée », à quoi s'ajoutent, la même année, deux contrefaçons hollandaises, attestent un assez vif succès. Et pourtant, la comédie des *Véritables Précieuses* n'est rien d'autre qu'une médiocre imitation de la pièce de Molière, où le principal effort d'invention consiste à prêter à deux précieuses, Artémise et Iscarie, un galimatias métaphorique que le lecteur aurait sans doute du mal à comprendre sans le secours de notes marginales qui précisent que les « taches avantageuses » sont des mouches, les « grâces » des perles, et un « innocent » un poulet. L'auteur, Antoine Baudeau de Somaize, était un obscur plumitif auquel le succès de Molière révéla que le thème de la précieuse pouvait devenir un filon. La faculté de faire « des vers et de la prose avec assez de facilité » qu'il revendique, non sans fierté, dans son *Grand dictionnaire historique des précieuses* lui permit de publier coup sur coup, en quelques mois, un court lexique du langage précieux pompeusement intitulé *Le Grand dictionnaire des précieuses ou la Clef du langage des ruelles*, une adaptation versifiée de la pièce de Molière, *Les Précieuses ridicules [...] nouvellement mises en vers*, une fade « comédie », *Le Procès des précieuses en vers burlesques*, ainsi qu'un *Dialogue de deux précieuses sur les affaires de leur communauté* qui s'ajoute, en septembre 1660, à la deuxième édition des *Véritables Précieuses*. Ce dialogue annonce une *Pompe funèbre d'une précieuse*, dont le titre fait écho à la célèbre *Pompe funèbre de Voiture* de Sarasin : elle ne verra pas le jour. Pour lors, un projet ambitieux accapare Somaize. Il lui faudra plusieurs mois pour collecter les informations rassemblées dans les deux volumes de son *Grand Dictionnaire des précieuses, historique, politique, géographique, cosmographique, chronologique et armoirique*, paru chez Jean Ribou en juin 1661. Comme il est précisé dans la *Préface*, plus de sept cents personnes, identifiées pour la plupart dans une clef imprimée à la fin de l'ouvrage, sont mentionnées dans cette vaste somme qui déborde le cadre parisien pour s'étendre à la province. Cette encyclopédie des ruelles eut du succès, bien qu'elle tienne mal ses promesses. Ni l'exploitation de la vogue du portrait et de l'historiette galante, ni la recherche des élégances ou des bizarreries du langage à la mode ne peuvent masquer l'insignifiance d'un ouvrage où la notion de préciosité se dilue dans le potin mondain, et qui verse même dans l'imposture quand, sous prétexte d'éclairer la langue des ruelles, l'auteur emprunte à quelques écrivains en vue, à Corneille notamment, des périphrases et des tours métaphoriques que nul ne songerait à transposer dans la conversation. Si Somaize, plus que tout autre, s'est servi du succès des *Précieuses ridicules* pour tirer profit d'un sujet à la mode, il n'a guère à nous apprendre sur la préciosité. En revanche, ses attaques contre celui qu'il ne cesse de désigner, avec une insistance hargneuse et méprisante, sous son nom de scène, Mascarille, sont révélatrices des tensions et des jalousies que la réussite de Molière, dès 1659, a fait naître, prélude aux âpres polémiques qui entoureront ses futurs succès.

LA POLÉMIQUE
AUTOUR DES *PRÉCIEUSES RIDICULES*

Des témoignages hostiles à Molière, trois accusations majeures se dégagent : l'indélicatesse du plagiaire, la malignité du satirique et la bouffonnerie du farceur.

L'accusation de plagiat a été lancée par Somaize, avant même la publication des *Précieuses ridicules*, dans sa comédie des *Véritables Précieuses* : présentant d'entrée Molière comme « l'auteur prétendu des *Précieuses ridicules* », la *Préface* l'accuse d'avoir « copié les *Précieuses* de Monsieur l'abbé de Pure, jouées par les Italiens ». Quand on sait que la comédie de Somaize démarque sans vergogne la pièce de Molière, cette imputation ressemble assez à l'alibi d'un imitateur indélicat. Mais Somaize n'en reste pas là. Pour faire valoir sa version versifiée des *Précieuses ridicules*, publiée trois mois plus tard, il use du même artifice, s'autorisant du prétendu « vol » que Molière aurait fait aux comédiens italiens pour justifier sa propre adaptation en vers d'une comédie dont le mérite de l'invention reviendrait tout entier à l'abbé de Pure. L'accusation aura quelques échos : Donneau de Visé, dans ses *Nouvelles nouvelles* (1663), affirmera à son tour que Molière, dans *Les Précieuses ridicules*, s'est borné à « habiller à la française » une comédie jouée par les Italiens, « et qui leur avait été donnée par un abbé des plus galants » (on aura reconnu l'abbé de Pure) ; et un an plus tard, dans *La Guerre comique ou la Défense de l'École des femmes*, le sieur de La Croix fera dire à un adversaire de Molière qu'« il ne tient ses *Précieuses* que des Italiens » (Molière, *O. C.*, t. I, p. 1139).

De la pièce de l'abbé de Pure, nous savons qu'elle était écrite en italien (« en langue toscane fort pure », dit une gazette du temps, *La Muse royale*, à la date du 3 mai 1660) ; nous savons aussi qu'elle fut représentée, avec quelque retentissement, en 1656, année où l'auteur faisait paraître les deux premières parties de son roman, *La Précieuse ou le Mystère des ruelles*. La comédie n'a pas été conservée, ni sans doute imprimée : on peut penser qu'il s'agissait d'un simple canevas sur lequel les comédiens italiens, à leur habitude, improvisaient. Malgré tout, l'auteur des *Véritables*

Précieuses, en 1660, a cru pouvoir établir des ressemblances précises entre la pièce italienne et la comédie de Molière : « C'est la même chose », affirme sans ambages le poète mis en scène par Somaize ; « ce sont deux valets tout de même qui se déguisent pour plaire à deux femmes, et que leurs maîtres battent à la fin. Il y a seulement cette petite différence que, dans la première, les valets le font à l'insu de leurs maîtres et que, dans la dernière, ce sont eux qui leur font faire » (sc. VII ; voir Georges Mongrédien, *Comédies et pamphlets sur Molière*, Nizet, 1986, p. 52-53). Il n'est pas impossible que Somaize, pour les besoins de la démonstration, ait accusé les similitudes. Si l'on s'en tient à l'évocation rapide que l'abbé de Pure, dans la troisième partie de son roman de *La Précieuse* (1657), a donnée de la pièce, la comédie jouée par les Italiens était bien différente. Elle aurait été conçue pour dissuader une jeune fille de bonne maison, Aurélie, de préférer un poète besogneux et contrefait, Scaratide, qui n'est pas sans faire songer à Scarron, à un amant de meilleure mine, le galant Clomire. En exposant sur le théâtre le ridicule de cette passion déraisonnable, on inflige à Aurélie une confusion salutaire, qui la conduira à prendre la résolution de se défendre le plus longtemps possible des faiblesses du cœur. On sait aussi, grâce à l'auteur des *Antiquités de Paris*, Sauval, que la comédie de l'abbé de Pure contenait une scène satirique dans laquelle la réputation des écrivains du temps, poètes et romanciers, était livrée au hasard de la loterie (voir Molière, *O. C.*, t. I, p. 252-253). Rien de tout cela dans *Les Précieuses ridicules*. À supposer que Molière ait pu avoir connaissance d'une comédie représentée alors qu'il était loin de Paris et dont tout porte à croire qu'elle ne fut pas imprimée, il est clair qu'il ne s'est pas borné à accommoder en français un modèle italien. L'abbé de Pure, à notre connaissance, n'a jamais dénoncé le prétendu larcin, et Molière n'a pas daigné relever une accusation malveillante, et sans doute mal fondée.

Si elles doivent plus à l'observation du réel qu'à l'exemple de l'abbé de Pure, *Les Précieuses ridicules* empruntent en revanche quelques traits à des ouvrages que Molière connaissait bien et dont il a su faire son profit. Cathos et Magdelon prolongent un modèle littéraire offert par le personnage de Sestiane dans la célèbre comédie des *Visionnaires* de Desmarests (1637), qui figurait au répertoire de la troupe du Petit-Bourbon. Sestiane est une précieuse avant la lettre : elle a la passion des choses de l'esprit, se pique de littérature et se passionne pour le théâtre ; elle méprise aussi les attaches charnelles et refuse, avec les liens du mariage, les servitudes de la maternité. Comme Sestiane, les précieuses de Molière appartiennent à la famille des «visionnaires», ces esprits chimériques dominés par une fausse idée de soi et habités par des rêves délirants de grandeur et de distinction.

Mascarille, pour sa part, doit beaucoup au type du galant dont Charles Sorel, dans un opuscule satirique publié en 1644 et réédité, avec des ajouts, en 1658, avait codifié la conduite. Le valet de La Grange, en effet, semble avoir appris son rôle dans *Les Lois de la galanterie,* dont il applique à la lettre les consignes : il a soin de peigner sa perruque, de faire admirer ses dentelles et ses rubans, feint de connaître les auteurs de Paris et de s'ériger auprès d'eux en conseiller littéraire, propose aux dames de les conduire à la comédie pour leur faire découvrir des pièces nouvelles. Comme les précieuses dans la lecture des romans de Mlle de Scudéry, Mascarille a puisé dans le code galant les principes de ses rêves, et Molière a fondé la conception de ces figures ridicules sur ce rapport faussé entre la littérature et la vie.

Quant à la supercherie des valets déguisés, ce scénario de théâtre relevait de la tradition de la farce et de la comédie burlesque. Molière a pu en mesurer l'efficacité dramatique dans deux pièces de Scarron qui étaient au répertoire de sa troupe, *Jodelet ou le Maître valet* et surtout *L'Héritier ridicule,* où le laquais Filipin, dans le rôle du richissime Don Pedro de Buffalos, n'a pas trop de mal à séduire une femme intéressée pour démasquer son avarice. Filipin, comme Mascarille, a le goût de la comédie, sait user d'un langage «étonnant le vulgaire» et se pique de «parler phébus» et d'écrire «en vers ainsi qu'en prose» comme un galant confirmé. Mais Mascarille n'est pas Filipin, et le rapprochement des deux comédies devrait surtout conduire à marquer la distance qui sépare la comédie burlesque, qui fait jaillir le ridicule du grotesque en se coupant de toute réalité, et la farce satirique, qui fait de la parodie l'instrument d'une peinture moqueuse des mœurs du temps.

Les premiers spectateurs des *Précieuses ridicules* ont bien perçu la nouveauté de cette orientation de la comédie, et le piquant de la satire, mêlé à la gaieté de la farce, fut un élément décisif de la réussite de la pièce. Mais les ennemis de Molière ne manqueront pas de lui reprocher d'avoir utilisé une arme douteuse pour remporter des succès de mauvais aloi. Somaize, une fois encore, sera aux avant-postes pour dénoncer, dans la *Préface* des *Véritables Précieuses,* l'insolence d'un auteur qui, au mépris des convenances, « met sur le théâtre une satire qui, quoique sous des images grotesques, ne laisse pas de blesser tous ceux qu'il a voulu accuser ». Pour sa part, l'auteur des *Véritables Précieuses* se défend d'avoir prétendu parler « de ces personnes Illustres qui sont trop au-dessus de la satire pour faire soupçonner que l'on ait dessein de les y insérer ». Cette benoîte défense est encore une attaque, puisqu'elle invite à penser que Molière, quant à lui, a poussé la satire jusqu'à la calomnie de personnes du plus haut rang. En signalant, dans son *Grand Dictionnaire historique des précieuses*, que les représentations auraient été un temps interdites à la suite d'une intervention puissante, Somaize continue d'accréditer l'idée que la satire a légitimement alarmé les gens du meilleur monde, manière habile d'exciter la défiance et l'hostilité du public aristocratique à l'endroit d'un auteur capable d'enfreindre les règles du respect dû aux personnes de qualité. Sous le couvert des convenances, ces attaques fielleuses sont les premières manifestations d'un procès qui se durcira, à l'époque de *L'École des femmes* et du *Tartuffe*, quand Molière sera accusé de blesser la morale et de porter atteinte à la dignité de la cour et de la religion. Il lui faudra alors se défendre. Pour l'heure, il lui suffit, dans une alerte *Préface*, de rassurer les cercles mondains en rappelant que sa comédie, en prenant pour cibles les ridicules imitatrices des véritables précieuses, n'a rien qui puisse offenser et « se tient partout dans les bornes de la satire honnête et permise ». Il n'est pas impossible que la comédie de Gabriel Gilbert, *La Vraie et la Fausse Précieuse*, montée par Molière en mai 1660, et dont le texte n'a pas été conservé, ait répondu au même souci d'apaisement.

En mettant l'accent sur le caractère satirique de la comédie, les adversaires de Molière tendaient aussi à réduire le succès des *Précieuses ridicules* à l'attrait du scandale. Quand Donneau de Visé, dans *Zélinde* (août 1663), met au rang des bonheurs de Molière « d'avoir rencontré un siècle où l'on ne se plaît qu'à entendre des satires », la mise en cause du mauvais goût du siècle offre un moyen commode de dénigrer la réussite du dramaturge ; et, par un effet de clôture parfaite qui rend l'accusation imparable, on ne manque pas d'imputer à Molière lui-même cette corruption du goût qui dégrade le théâtre. L'attaque apparaît dès la première heure, quand, dans une lettre à l'abbé de Pure qui a déjà été évoquée, Thomas Corneille accuse les comédiens du Petit-Bourbon d'être responsables de la chute de la tragédie d'*Oreste et Pylade* de M. de La Clairière : « Tout le monde dit qu'ils ont joué détestablement sa pièce ; et le grand monde qu'ils ont eu à leur farce des *Précieuses*, après l'avoir quittée, fait bien connaître qu'ils ne sont propres qu'à soutenir de semblables bagatelles, et que la plus forte pièce tomberait entre leurs mains » (Mongrédien, *Recueil*, t. I, p. 114).

Un procès est lancé, dont les arguments ne se renouvelleront guère au fil des années. Somaize, dans la *Préface* des *Précieuses ridicules [...] nouvellement mises en vers* (avril 1660), ironise sur le jeu de Molière « qui a plu à assez de gens pour lui donner la vanité d'être le premier farceur de France ». En février 1663, dans ses *Nouvelles nouvelles*, Donneau de Visé ne voit dans *Les Précieuses* que « satire » et « bagatelle ». En novembre de la même année, dans son *Panégyrique de L'École des femmes*, Charles Robinet met en scène des corneliens convaincus qui ne pardonnent pas à Molière, « le plus détestable comédien qu'on ait jamais vu », d'avoir mis en vogue les « bagatelles » et les « farces », au détriment du théâtre noble, la « belle comédie » (Molière, *O. C.*, t. I, p. 1073). À ces attaques, l'auteur des *Précieuses ridicules* opposera, dans sa *Préface*, l'approbation du public, « juge absolu de ces sortes d'ouvrage ». Ce sera la ligne de défense constante d'un auteur qui, dès son premier grand succès parisien, avait fait du plaisir des spectateurs « la grande règle de toutes les règles ».

LA MISE EN SCÈNE DE MOLIÈRE

La farce, plus encore que la comédie, ne demande pas un décor fortement caractérisé. Dans *Les Précieuses ridicules*, la « salle basse » de la maison de Gorgibus est avant tout un lieu théâtral propice au mouvement des personnages et à la mise en valeur du jeu comique. Aussi le *Mémoire* des décorateurs de l'Hôtel de Bourgogne et de la Comédie-Française se borne-t-il à mentionner quelques accessoires nécessaires au jeu : « Il faut une chaise de porteurs, deux fauteuils, deux battes. » La chaise, transportée jusqu'à l'intérieur de la maison, permet à Mascarille de faire une entrée fracassante ; les deux fauteuils honoreront deux visiteurs de marque ; quant aux « battes », véritable emblème de la farce, elles serviront à donner la bastonnade aux valets.

Sur le costume de Mascarille, le frontispice conçu par François Chauveau pour l'édition de 1666 des *Œuvres de Mr Molière* apporte un témoignage du plus vif intérêt. Cette image de Molière dans le rôle de Mascarille a toutes chances d'être fidèle au personnage que les premiers spectateurs des *Précieuses ridicules* ont pu voir. Outre le grisé du visage, qui confirme que Molière jouait sous le masque (voir la Notice, p. 93), la gravure témoigne d'une exagération plaisante des tendances de la mode, qu'il s'agisse du chapeau qui disparaît sous un panache luxuriant, de la longue perruque frisée couvrant généreusement les épaules, de l'ampleur des manches bouillonnées et du haut-de-chausses couvert de rubans, de la taille singulière enfin des canons de dentelles enveloppant la jambe et du nœud qui orne le dessus du pied. Ces indications, qui prolongent et précisent les suggestions du texte, sont confirmées par la plaisante description que Marie-Catherine Desjardins a donnée de Mascarille dans son *Récit en prose et en vers de la farce des Précieuses* : « Imaginez-vous donc, Madame, que sa perruque était si grande qu'elle balayait la place à chaque fois qu'il faisait la révérence, et son chapeau si petit qu'il était aisé de juger que le marquis le portait bien plus souvent dans la main que sur la tête ; son rabat se pouvait appeler un honnête peignoir[1], et ses canons semblaient n'être faits que pour servir de caches aux enfants qui jouent à clinemusette[2] ; et en vérité, Madame, je ne crois pas que les tentes des jeunes Massagètes[3] soient plus spacieuses que ses honorables canons. Un brandon de galants[4] lui sortait de sa poche comme d'une corne d'abondance, et ses souliers étaient si couverts de rubans qu'il ne m'est pas possible de vous dire s'ils étaient de roussi[5], de vache d'Angleterre ou de maroquin ; du moins sais-je bien qu'ils avaient un demi-pied de haut, et que j'étais fort en peine de savoir comment des talons si hauts et si délicats pouvaient porter le corps du marquis, ses rubans, ses canons et la poudre. Jugez de l'importance du personnage sur cette figure et me dispensez, s'il vous plaît, de vous en dire davantage. »

Une vingtaine d'années plus tard, la gravure de Pierre Brissart placée en tête des *Précieuses ridicules* dans l'édition de 1682 fixe quelques traits majeurs qui feront tradition. Elle illustre l'arrivée de Jodelet (sc. XI). Le décor, dominé par une grande tapisserie, donne une impression d'aisance. Au premier plan, Mascarille et Jodelet s'embrassent. Un peu en retrait, Cathos et Magdelon montrent, par le geste et la mine, la joie que leur apporte cette nouvelle visite. Si le costume et la coiffure des précieuses révèlent la coquetterie, la tenue de Mascarille affiche une prétention outrée à l'élégance : la perruque bouclée et le chapeau garni de plumes, les larges rubans qui couvrent l'épaule, le poignet et le haut-de-chausses, la longue veste parée de broderie, les vastes canons et le grand nœud sur la chaussure à talon, la petite épée attachée à un très long baudrier, créent un effet de surcharge.

---

1. « Linge qu'on met sur les épaules tandis qu'on est à la toilette, qu'on se peigne » (Furetière).
2. Ancien nom du jeu de cache-cache.
3. Peuple nomade vivant sous des tentes, dans *Le Grand Cyrus*.
4. Une gerbe de rubans.
5. Cuir de Russie.

Jodelet, qui porte une culotte collante, est vêtu de manière plus sobre, encore que des canons en forme de collerette apportent à l'habit du prétendu vicomte une note bouffonne.

Sur le jeu des personnages, nul doute que Molière n'ait imprimé à ses précieuses et à Mascarille les traits caractéristiques qui resteront attachés, sur son théâtre, aux types de la façonnière et du marquis ridicule. Si ces types prennent appui sur l'observation, ils s'inspirent aussi de modèles que la littérature satirique avait contribué à dessiner. Avant que Molière ne donne à ses deux précieuses le relief et la vie du jeu scénique, bien des remarques moqueuses avaient attiré l'attention sur les mines ridicules des façonnières, leur «déhanchement merveilleux» (Renaud de Sévigné, 1654), «leurs petites mignardises, leur parler gras et leurs discours extraordinaires» (Chapelle et Bachaumont, 1656). Mlle de Montpensier, dans son *Portrait des précieuses* (1659), observe qu'«elles penchent la tête sur l'épaule, font des mines des yeux et de la bouche, ont une mine méprisante et une certaine affectation en tous leurs procédés qui est extrêmement déplaisante». Mlle de Scudéry elle-même, dès 1654, opposait à la beauté naturelle de Clélie «toutes les façons, ou, pour mieux dire, toutes les grimaces de celles qui font les belles, et qui ne font pas une action où il n'y ait une affectation qui déplaît étrangement». L'attaque vise les minauderies des coquettes, «qui composent tous leurs regards, qui placent leurs mains avec art, qui tournent la tête négligemment, qui ont une langueur artificielle ou un enjouement emprunté, qui ajustent même leurs lèvres au miroir quand elles s'habillent et qui cherchent à rire d'une façon qui montre toutes leurs dents quand elles les ont belles». Cathos et Magdelon, dont la personne, selon La Grange, «est un ambigu de précieuse et de coquette» (sc. I), ont sans doute hérité de «ces faiseuses de petites mines affectées» plus d'une façon, ainsi que l'empressement à prendre les modes nouvelles, et à les prendre «avec excès» (voir les extraits des romans de Mlle de Scudéry publiés par Rita Santa Celoria, Turin, Giappichelli, 1973, p. 302-304). Mais c'est le personnage de Climène qui, dans *La Critique de l'École des femmes* et dans *L'Impromptu de Versailles*, livre les indications les plus précises sur la manière dont Molière a conçu le jeu de la précieuse ridicule. Précieuse «depuis les pieds jusqu'à la tête, et la plus grande façonnière du monde», Climène, dans *La Critique*, fait l'objet d'un portrait qui définit l'interprétation du rôle: «Il semble que tout son corps soit démonté, et que les mouvements de ses hanches, de ses épaules et de sa tête n'aillent que par ressorts. Elle affecte toujours un ton de voix languissant et niais, fait la moue pour montrer une petite bouche, et roule les yeux pour les faire paraître grands » (Molière, *O. C.*, t. I, p. 645). Mlle du Parc, dans *L'Impromptu*, sera félicitée pour sa parfaite interprétation du rôle, et, dans le même emploi de « marquise façonnière », elle est invitée « à [se] déhancher comme il faut, et à faire bien des façons » (*ibid.*, p. 689). Soyons assurés que Cathos et Magdelon ont été des façonnières appliquées.

Le personnage de Mascarille transpose sur le théâtre le type du galant infatué dont Charles Sorel, dans ses *Lois de la galanterie*, avait codifié l'élégance et qui, sous le nom de « pousseur de beaux sentiments », avait pris un visage résolument comique dans un sonnet de Georges de Scudéry repris, en 1655, dans la troisième partie du recueil de Sercy :

> *Il paraît vers le soir, poudré, frisé, lavé,*
> *Exhalant le jasmin, de canons entravé*
> *Dont un seul pèse autant que la plus grosse botte.*
>
> *Il va chez quelque dame, où, d'un ton de coquet,*
> *Il lit un bout-rimé sur défunt Perroquet[6].*
> *Cette dame l'admire. Ô le fat ! ô la sotte !*

À cette figure comique, Molière donnera une identité sociale précise en faisant du petit marquis évaporé un courtisan ridicule. Mascarille, qui se pique de qualité et prétend être admis au petit coucher (sc. VII), inaugure par la parodie cette brillante lignée : il marquera le type au point de lui donner son nom, comme on peut le voir dans la scène V de *La Critique de l'École des femmes* où Dorante s'élève contre « les ébullitions de cerveau de nos marquis de Mascarille » (Molière, *O. C.*, t. I, p. 654). Les indications scéniques apportées par *L'Impromptu de Versailles*, où Molière et La Grange interprètent deux marquis ridicules, éclairent le jeu bouffon de Mascarille. Au contraire de l'honnête homme de cour, qui doit « prendre un air posé, un ton de voix naturel, et gesticuler le moins [...] possible » (*ibid.*, p. 682), le marquis parle sur un ton

---

6. Allusion aux sonnets en bouts-rimés composés, en novembre-décembre 1653, à l'occasion de la mort du perroquet de la marquise du Plessis Bellière, amie du surintendant Foucquet.

haut perché, use d'un langage particulier « pour se distinguer du commun », aime à peigner sa perruque et à « gronder » une petite chanson entre ses dents (p. 685) ; toujours en mouvement, tantôt debout, tantôt assis, son « inquiétude naturelle » (p. 689) et sa fatuité réclament du « terrain ». Le rôle de Mascarille était à la mesure du talent comique de Molière, au point que Somaize, dans la *Préface* des *Précieuses ridicules* [...] *mises en vers*, est obligé de reconnaître que l'acteur, par son jeu, « a plu à assez de gens pour lui donner la vanité d'être le premier farceur de France ». La remarque, qui se veut fielleuse, n'en donne que plus de valeur à l'hommage.

À Jodelet, le personnage du faux vicomte offrait la possibilité de déployer les ressources d'un art confirmé de la bouffonnerie. Avec son visage enfariné et son ton nasillard, Jodelet avait depuis longtemps conquis la faveur du public, sur le théâtre du Marais, dans des rôles de valet rusé ou balourd, dont le burlesque appuyé ne reculait pas devant la plaisanterie un peu grasse. Tous ces effets, qui répondaient à l'attente des spectateurs, marquent le rôle que Molière a conçu pour Jodelet : au grand jeu du faux marquis bel esprit répond la cocasserie plus épaisse de son partenaire, qui entraîne le comique vers l'équivoque, la plaisanterie bouffonne et l'étalage assez vite scabreux de nobles cicatrices. Sans voler la vedette à Mascarille, le rôle de Jodelet était plus qu'un simple faire-valoir.

Molière, dans la *Préface* des *Précieuses ridicules*, a souligné l'importance du jeu comique dans la réussite du spectacle. La version manuscrite de la relation de Mlle Desjardins (voir la Notice, p. 96) donne à penser que les « ornements » de la représentation ne se limitaient pas à « l'action et [au] ton de voix ». Conformément à l'esprit de la farce et à sa tradition, les acteurs avaient la liberté d'assaisonner le spectacle de lazzis plus ou moins improvisés et de broder sur le texte des plaisanteries réservées au seul plaisir des spectateurs. Mlle Desjardins n'a pas inventé la « soucoupe inférieure » que demandent les précieuses, à l'annonce de l'arrivée de Mascarille, en même temps que le « conseiller des grâces » (voir l'édition critique de Micheline Cuénin, p. 98) ; elle n'a pas inventé non plus la galéjade de Jodelet qui prétend qu'après avoir reçu un coup de mousquet dans la tête, il a rendu la balle en éternuant (*ibid.*, p. 101-102) : ces bouffonneries, nées dans le feu de l'action comique, débordent le texte ; mais elles attestent l'existence, dès l'origine de la pièce, d'un écart entre la version que l'auteur a livrée à l'impression et l'interprétation que l'acteur, avec ses comédiens, a proposée au public. En entretenant la tradition scénique et en l'enrichissant, au besoin, de lazzis nouveaux, les interprètes de Molière resteront plus fidèles qu'on ne l'a dit à l'esprit de liberté et de gaieté qui anime la farce des *Précieuses*.

LA TRADITION ET LES INTERPRÈTES

Il suffit, au théâtre, qu'un jeu de scène réussisse pour qu'il fasse tradition. C'est le cas du déshabillage de Jodelet dans la scène XV : dès le XVIIIe siècle, il était d'usage, après avoir ôté au valet son costume de gentilhomme, de le dépouiller d'une demi-douzaine de gilets dont il couvrait un habit de cuisinier ; après quoi, se coiffant d'une toque glissée dans sa ceinture, Jodelet s'agenouillait devant Cathos qui le repoussait avec horreur. Le lazzi des gilets se maintiendra à la scène. D'autres effets comiques ne s'imposeront qu'un temps. Vers le milieu du XIXe siècle, l'acteur François-Joseph Régnier soulignait d'un geste décidé l'endroit de cette « furieuse plaie » que Mascarille se propose de montrer aux deux précieuses ; à la même époque, Jodelet découvrait, en se balançant sur son fauteuil, une « lune toute entière » qui n'avait guère à voir avec l'art des fortifications ; dépouillé de ses gilets et tout frissonnant, il allait se réchauffer les mains à la rampe ; une tradition plus ancienne encore, puisqu'elle est signalée par Bret dans son édition des *Œuvres de Molière* en 1773, prêtait à Mascarille, dans la scène XI, un lapsus révélateur qui transformait le « coup de mousquet » en « coup de cotret ». À chaque époque d'inventer des gags susceptibles de mettre le public en joie et de rendre la pièce aussi « friande » qu'elle avait pu l'être à ses débuts au regard du gazetier Jean Loret, qui avoue y avoir ri « pour plus de dix pistoles ». Récemment, la troupe du Théâtre du Jura bousculait la tradition en poussant le déshabillage des valets jusqu'à la nudité complète : l'effet était autorisé par l'ordre de Du Croisy (« Vite, qu'on leur ôte jusqu'à la moindre chose ») et accentuait la drôlerie du dernier mot de Mascarille sur « la vérité toute nue ». Ces libertés du jeu farcesque, n'en déplaise aux moliéristes austères, s'accordent avec la tradition d'un genre qui aime à narguer les convenances et invite à l'invention comique.

Plus discutables sont les modifications que l'on a cru devoir apporter au texte de Molière pour compenser l'usure des traits satiriques. C'est ainsi que les comédiens du Théâtre-Français, au XIXe siècle, supprimaient la tirade finale de Gorgibus : elle fut rétablie à la demande d'Auguste Vitu en 1887 ; mais l'effet comique fut jugé trop faible et, au début du siècle, on était revenu à l'usage de couper la dernière scène pour trouver dans la sortie de Mascarille une chute d'une plus franche gaieté. Rapportant un propos de Gustave Larroumet, Francisque Sarcey, dans une chronique de 1884, rappelait qu'à la fin du XVIIIe siècle, deux interprètes de Mascarille, Dugazon et Dazincourt, n'hésitaient pas à rajeunir les allusions moqueuses à la mode et aux usages : «Ainsi, au lieu de la *petite oie* et des *canons* dont parle Mascarille, Dugazon faisait admirer les boucles de ses souliers, en ajoutant qu'il en était à son cinquante-septième modèle ; il ne parlait plus d'aller au Louvre, au petit coucher, mais d'aller prendre des glaces au Palais-Royal. De même, Dazincourt. M. Georges Monval [...] possède un exemplaire des *Précieuses* que cet acteur avait arrangé lui-même. Les phrases sur les *rabats* et les *hauts-de-chausses* ont disparu, la *petite oie* est remplacée par une *veste*, les *plumes* par des *manchettes*, etc. Naturellement, Cathos et Magdelon se mettaient à l'unisson ; au lieu de *broderies*, Cathos parlait de *rubans*, et Magdelon de *mouches* au lieu de *chaussettes*[7]. »

Si les usages dramatiques d'aujourd'hui imposent un plus grand respect du texte, il n'en reste pas moins que le vieillissement des allusions aux mœurs du temps invite les comédiens à renforcer les effets comiques qui sont de toutes les époques, et plus particulièrement le comique de l'affectation et du déguisement. On en croira volontiers Robert Manuel, qui estime que Mascarille, pour faire rire, est aujourd'hui «obligé "d'en faire un peu", pour ne pas dire beaucoup[8] ».

Comme le Mascarille de *L'Étourdi*, comme Scapin ou Figaro, le rôle de Mascarille dans *Les Précieuses ridicules* se place au premier rang des valets du répertoire comique et donne à cet emploi une couleur particulière, celle du valet à costume, distinct du valet à livrée. Tous les grands interprètes des valets de comédie ont endossé l'habit enrubanné du marquis de Mascarille. Ce fut le cas, dans la deuxième moitié du XVIIIe siècle, de Préville (pseudo-

---

7. Francisque Sarcey, *Quarante ans de théâtre*, 2e volume, Bibliothèque des Annales politiques et littéraires, 1900, p. 57.

8. Robert Manuel, *Merci Molière !*, Éditions Pygmalion / Gérard Watelet, 1985, p. 117.

nyme de Pierre-Louis Dubus), qui fut, de 1753 à 1786, le titulaire incontesté des premiers rôles comiques à la Comédie-Française. En rappelant, dans ses réflexions sur l'art du comédien, qu'il est des rôles dont le caractère burlesque permet à l'acteur «de s'abandonner à une sorte d'exagération dans son débit comme dans son jeu muet» et que, loin de constituer un défaut, la *charge* est au contraire «un degré de perfection dans la manière de rendre ces rôles[9]», Préville ne fait pas explicitement référence aux *Précieuses ridicules* : mais la remarque s'applique tout particulièrement au rôle de Mascarille.

Le rôle fut illustré à la Comédie-Française, au XIXe siècle, par Régnier, puis par Constant Coquelin, auquel son frère, Coquelin cadet, dans le rôle de Jodelet, donnait la réplique ; par George Berr enfin, après le départ de Coquelin. Au XXe siècle, André Brunot, Pierre Dux, Robert Manuel, Robert Hirsch, Jean Piat, Jean-Paul Roussillon, Jean-Luc Moreau, ont prêté leur talent comique au personnage de Mascarille.

Aux actrices spécialisées dans les emplois comiques de soubrettes et de servantes, les personnages de Magdelon et de Cathos offraient des possibilités de jeu élargies. Suzanne Brohan, Augustine Brohan sa fille, Jeanne Samary au siècle dernier, Béatrix Dussane, Béatrice Bretty, Lise Delamare, Edwige Feuillère, Gisèle Casadesus, Micheline Boudet à notre époque, ont brillé dans le rôle de l'une ou l'autre des deux précieuses.

QUELQUES RÉALISATIONS MARQUANTES

Plusieurs représentations ont fait date. Ainsi, le 25 septembre 1903, André Brunot faisait ses débuts à la Comédie-Française dans le rôle de Mascarille, avec lequel il venait de remporter un brillant premier prix de comédie au Conservatoire. Béatrix Dussane lui donnait la réplique dans le rôle de Cathos : c'étaient également les débuts d'une jeune actrice de quinze ans qui venait, elle aussi, de remporter le premier prix de comédie en jouant le personnage de Toinette, qui l'imposera dans l'emploi de soubrette. Du jeune Brunot, Jules Claretie, alors administrateur de la Comédie-Française,

9. *Mémoires de Mlle Clairon, de Lekain, de Préville, de Dazincourt, de Molé, de Garrick, de Goldoni*, Firmin Didot, 1857, p. 171.

écrivait : « Un peu café-concert, mais irrésistiblement amusant. »
Confirmé par plus de trente ans de métier, le talent comique de
Brunot fera merveille quand, en 1935, la Comédie-Française por-
tera pour la première fois à l'écran une pièce du répertoire. Ces
Précieuses ridicules, filmées par Léonce Perret, ont fixé le souvenir
d'une interprétation éclatante de gaieté avec, face à André Brunot
(Mascarille), deux comédiennes de haut vol : Lise Delamare
(Cathos) et Béatrice Bretty (Magdelon).

Le 23 mars 1949, la mise en scène de Robert Manuel s'imposera
aussi sur la scène de la Comédie-Française par la qualité de l'interprétation d'un exceptionnel quatuor d'acteurs comiques : Micheline Boudet (Magdelon), Yvonne Gaudeau (Cathos), Robert
Manuel (Mascarille) et Robert Hirsch (Jodelet). Reprise en 1960,
cette mise en scène offrira à Robert Manuel l'occasion de faire
éclater de nouveau, dans le rôle vedette de Mascarille, la drôlerie
du faux marquis enrubanné, emperruqué, empanaché, jouant
avec une superbe grotesque son rôle de mondain à la mode.

La mise en scène que Jean-Louis Thamin présenta aux spectateurs du Théâtre-Français le 24 novembre 1971, et que la télévi-
sion fit découvrir à un public élargi en 1972, eut le mérite de
donner à un spectacle que la tradition tendait à transformer en
exercice d'école une fraîcheur salutaire. Sur un fond de décor
représentant la Carte de Tendre, Jean-Luc Moreau (Mascarille)
et Gérard Cailleau (Jodelet) composaient, avec Virginie Pradal
(Magdelon) et Catherine Hiégel (Cathos), un ballet réjouissant
qui donnait à la fantaisie burlesque un caractère de poésie.

Dans le spectacle présenté par Francis Perrin au Grand Trianon
de Versailles en 1990, la nouveauté tenait surtout au rythme de
vaudeville imprimé à la pièce. Couvert de larges rubans bleus, le
Mascarille de Francis Perrin triomphait allégrement dans le burlesque, le Jodelet de Claude Bruna, sous son grimage blanc, avait
des allures de clown, et les deux précieuses, Olivia Dutrou (Cathos)
et Christine Reverho (Magdelon), formaient un duo d'une réjouissante sottise.

À défaut d'être pleinement fidèle aux intentions de Molière, la
mise en scène de Jean-Luc Boutté, présentée le 26 janvier 1993 à
la Comédie-Française, a permis de porter sur *Les Précieuses ridicules*
un regard neuf. Dans un décor vide et blanc, des piles de livres
sur la scène rappellent le goût des précieuses pour la littérature,
leur aspiration au savoir et leur pente à confondre les fictions
avec le réel. Si Mascarille (Thierry Hancisse) et Jodelet (Yves

Gasc), noyés dans les dentelles, restent des pitres déguisés, les deux jeunes filles en revanche, par contraste avec l'épaisseur de Gorgibus (Igor Tyczka), ne manquent pas d'élégance. Plus naïves que sottes, elles se laissent griser par leur désir d'idéal, et Isabelle Gardien (Cathos) comme Claude Mathieu (Magdelon) ont su donner à leur personnage un élan attachant qui nuançait leur ridicule, au point de faire de La Grange et de Du Croisy les destructeurs injustes de l'euphorie du rêve.

Nulle trace d'indulgence en revanche dans le spectacle récemment conçu par Jérôme Deschamps et Macha Makeieff. Créée au Théâtre national de Bretagne, à Rennes, le 29 avril 1997, cette mise en scène des *Précieuses ridicules* avait pour principe l'alternance d'un certain nombre de rôles. La représentation du 3 mai nous a permis de voir Philippe Duquesne et Bruno Lochet dans les rôles de Mascarille et de Jodelet, Lorella Cravotta en Magdelon et Yolande Moreau en Cathos, Olivier Saladin en Gorgibus, François Tourmakine et Olivier Broche dans les rôles de La Grange et de Du Croisy, sans oublier le chien Mouche, dont la performance ne fut pas la moins applaudie. Évoluant dans un décor d'une grande sobriété, largement ouvert au mouvement, les personnages trouvaient dans l'extrême précision des costumes une forme de crédibilité qui accusait un fond commun de prétention et de sottise. À l'exception de Marotte et des porteurs qui, poulets ou bâton de chaise à la main, gardaient un solide contact avec le réel, tous les autres acteurs semblaient habités par un désir obstiné qui les transformait en héros dérisoires de l'illusion : illusion de maîtrise chez La Grange et Du Croisy, qui ne sont ici que des rustres présomptueux et sots ; soif de tranquillité et de confort chez Gorgibus, dont le principal talent consiste à expédier ses chaussures de ville dans une boîte tenue par son valet, avant d'enfiler avec volupté ses chaussons ; désir de grandeur et d'éclat chez Mascarille et son compère Jodelet, qui multiplient les simagrées de haut style, mais contrôlent mal les difficultés de la révérence ou les résistances d'une trop longue épée à rentrer dans son fourreau ; ambition délirante des précieuses enfin, dont les minauderies et la jubilation révèlent une insondable niaiserie. De ces « savoureuses épousailles entre les Deschiens et Molière » (Fabienne Pascaud, *Télérama*, 14 mai 1997, p. 62), on retiendra surtout la parfaite maîtrise d'une troupe qui sut faire partager, près de deux heures durant, sa passion du théâtre et son plaisir du jeu, jusqu'à faire accepter quelques effets étirés à l'excès ou quelques gags en surcharge. Et même si la leçon de mesure et de bon sens qu'apportaient *Les Précieuses ridicules* en 1659 paraissait bien oubliée dans cette métamorphose de la pièce en comédie du ratage et de la dérision généralisée, on ne jurerait pas malgré tout que ce fond d'amertume fût tout à fait étranger au comique moliéresque.

BIBLIOGRAPHIE

1. ÉDITIONS DE RÉFÉRENCE

Œuvres de Molière, édition Eugène Despois–Paul Mesnard, Hachette, «Les Grands Écrivains de la France», 1873-1900, 13 vol. (*Les Précieuses ridicules*, éditées par E. Despois, figurent au tome II).

MOLIÈRE, *Œuvres complètes*, texte établi, présenté et annoté par Georges Couton, Gallimard, Bibliothèque de la Pléiade, 1971, 2 vol. (revue en 1976).

MOLIÈRE, *Les Précieuses ridicules. Documents contemporains. Lexique du vocabulaire précieux*, édition critique par Micheline Cuénin, «Textes Littéraires Français» n° 200, Genève, Droz / Paris, Minard, 1973.

«Les Précieuses ridicules» de Molière. Un spectacle de Jérôme Deschamps et Macha Makeieff, présenté par Macha Makeieff, Actes Sud-Papiers, 1997.

2. TEXTES ET DOCUMENTS DU XVIIe SIÈCLE

MONGRÉDIEN (Georges), *Recueil des textes et des documents du XVIIe siècle relatifs à Molière*, C.N.R.S., 1965, 2 vol. (2e éd. 1973). Supplément dans la revue *XVIIe siècle*, n° 98-99, p. 123-142, en collaboration avec Jacques Vanuxem.

3. OUVRAGES GÉNÉRAUX

ADAM (Antoine), *Histoire de la littérature française au XVII siècle*, Domat, t. III, 1952.

BÉNICHOU (Paul), *Morales du grand siècle*, Gallimard, 1948 ; coll. « Folio / Essais », 1988.

BRAY (René), *Molière, homme de théâtre*, Mercure de France, 1954.

COLLINET (Jean-Pierre), *Lectures de Molière*, Armand Colin, coll. U², 1974.

CONESA (Gabriel), *Le Dialogue moliéresque, étude stylistique et dramaturgique*, P.U.F., 1983 ; *La Comédie de l'âge classique (1630-1715)*, Seuil, « Écrivains de toujours », 1995.

COPEAU (Jacques), *Registres II : Molière*, Gallimard, coll. « Pratique du théâtre », 1976.

DANDREY (Patrick), *Molière ou l'esthétique du ridicule*, Klincksieck, 1992.

DEFAUX (Gérard), *Molière, ou les Métamorphoses du comique : de la comédie morale au triomphe de la folie*, Lexington, French Forum, 1980 (rééd. Klincksieck, 1992).

DESCOTES (Maurice), *Molière et sa fortune littéraire*, Bordeaux, Ducros, coll. « Tels qu'en eux-mêmes », 1970.

FORESTIER (Georges), *Molière*, Bordas, coll. « En toutes lettres », 1990.

GRIMM (Jürgen), *Molière en son temps*, Biblio 17, P.F.S.C.L., 1993.

GUICHEMERRE (Roger), *La Comédie classique en France*, P.U.F., coll. « Que sais-je ? », 1978.

LERAT (Pierre), *Le Ridicule et son expression dans les comédies françaises de Scarron à Molière*, Lille, Atelier de reproduction des thèses, 1980.

MOREL (Jacques), *Agréables mensonges. Essais sur le théâtre français du XVII siècle*, Klincksieck, 1991.

REY-FLAUD (Bernadette), *Molière et la farce*, Genève, Droz, 1996.

SCHERER (Jacques), *La Dramaturgie classique en France*, Nizet, 1950.

SIMON (Alfred), *Molière*, Seuil, « Écrivains de toujours », 1957 ; rééd. revue, 1996.

VOLTZ (Pierre), *La Comédie*, Armand Colin, coll. U, série « Lettres françaises », 1964.

4. SUR LA PRÉCIOSITÉ

a) Témoignages anciens

PURE (abbé Michel de), *La Précieuse ou le Mystère des ruelles*, 4 vol., 1656-1658, éd. E. Magne, Société des Textes français modernes, Librairie E. Droz, 1938-1939, 2 vol.

SOMAIZE (Antoine Baudeau de), *Les Véritables Précieuses*, J. Ribou, 1660 ; *Les Précieuses ridicules [...] nouvellement mises en vers*, Ribou, 1660 ; *Le Grand Dictionnaire des précieuses ou la Clef de la langue des ruelles*, Ribou, 1660 ; *Le Grand Dictionnaire historique des précieuses*, Ribou, 1661. Les ouvrages de Somaize relatifs à la préciosité, notamment ses deux *Dictionnaires*, ont été réédités par Ch.-L. Livet dans la collection elzévirienne, 2 vol., 1856. *Le Grand Dictionnaire historique des précieuses* avec sa *clef* a fait l'objet d'une réimpression, Genève, Slatkine, 1972. La comédie des *Véritables Précieuses* a été rééditée par Georges Mongrédien dans le recueil des *Comédies et pamphlets sur Molière*, Nizet, 1986.

b) Études modernes

AVIGDOR (Eva), *Coquettes et précieuses. Textes inédits*, Nizet, 1982.

BRAY (René), *La Préciosité et les Précieux de Thibaut de Champagne à Jean Giraudoux*, Nizet, 1948 (rééd. 1968).

BRUNOT (Ferdinand), *Histoire de la langue française des origines à nos jours*, Armand Colin (1909), 1969, t. III et t. IV (1re partie).

Cahiers de l'Association Internationale des Études Françaises, no 1, « La Préciosité », 1951.

DUCHÊNE (Roger), « De Sorel à Molière, ou la rhétorique des Précieuses », dans *Le Langage littéraire au XVIIe siècle*, Ch. Wentzlaff-Eggebert éd., Tübingen, Gunter Narr, 1991, p. 135-145.

FIDAO-JUSTINIANI (J.-E.), *L'Esprit classique et la Préciosité au XVIIe siècle*, A. Picard, 1914.

FUKUI (Yoshio), *Raffinement précieux dans la poésie française du XVIIe siècle*, Nizet, 1964.

LATHUILLÈRE (Roger), *La Préciosité, étude historique et linguistique*, t. I (seul paru), Genève, Droz, 1966 ; « La préciosité : état présent », *Œuvres et Critiques*, I, 1, 1978, p. 8-23 ; « La langue des précieux », *Travaux de Linguistique et de Littérature*, t. XXV, 1, 1987, p. 243-269.

MONGRÉDIEN (Georges), *Les Précieux et les Précieuses*, Mercure de France, 1963.

PELOUS (Jean-Michel), *Amour précieux, amour galant (1654-1675). Essai sur la représentation de l'amour dans la littérature et la société mondaines*, Klincksieck, 1980.

PINTARD (René), « Préciosité et classicisme », *XVIIe siècle*, n° 50-51, 1961, p. 8-20.

REYNIER (Gustave), *La Femme au XVIIe siècle*, Tallandier, 1929 ; rééd. Plon, 1933.

SELLIER (Philippe), « La névrose précieuse : une nouvelle pléiade ? », dans *Présences féminines : littérature et société au XVIIe siècle français*, Actes de London (Canada), Ian Richmond et Constant Venesoen éd., Biblio 17, P.F.S.C.L., Paris - Seattle - Tübingen, 1987.

TIMMERMANS (Linda), *L'Accès des femmes à la culture (1598-1715)*, Champion, 1993.

5. SUR *LES PRÉCIEUSES RIDICULES*

ADAM (Antoine), « La genèse des *Précieuses ridicules* », *Revue d'histoire de la philosophie*, 1939, p. 14-46.

DUCHÊNE (Roger), « Précieuses ou Galantes ridicules ? », dans *Thèmes et genres littéraires aux XVIIe et XVIIIe siècles. Mélanges en l'honneur de Jacques Truchet*, P.U.F., 1992, p. 357-365.

HOPE (Quentin M.), « Dramatic techniques in *Les Précieuses ridicules* », dans *Renaissance and other studies in honor of William Leon Willy*, edited by George Bernard Daniel Jr., Chapel Hill, University of North Carolina Press, 1968, p. 141-150.

SCHERER (Jacques), « Aventures des Précieuses », *R.H.L.F.*, n° 5-6, septembre-décembre 1972, p. 850-862.

NOTES

PRÉFACE

Page 27.

1. *Étrange* : surprenante, extraordinaire (ce sens fort est courant au XVIIe siècle).

2. *On imprime les gens malgré eux* : allusion à la tentative d'édition subreptice du libraire Jean Ribou, qui obligea Molière à précipiter la publication de sa pièce dont l'impression fut confiée, sous l'autorité d'un privilège en bonne et due forme, au libraire éditeur Guillaume de Luyne (voir la Notice, p. 97).

3. *Le public est le juge absolu* : ce principe sera réaffirmé dans l'avertissement des *Fâcheux* (février 1662) : « Je m'en remets assez aux décisions de la multitude, et je tiens aussi difficile de combattre un ouvrage que le public approuve, que d'en défendre un qu'il condamne » (*O. C.*, t. I, p. 483). Comme le montre clairement *La Critique de l'École des femmes* (sc. V et VI), Molière conteste l'autorité de la critique savante en s'en remettant à l'arbitrage du public des gens de goût.

4. *Impertinence* : sottise, extravagance.

5. *L'action oratoire* (lat. *actio*), en rhétorique, touche à la prononciation et au geste ; au théâtre, elle désigne le jeu de l'acteur.

6. *À la chandelle* : c'est-à-dire sur le théâtre, à la lumière des chandelles qui éclairent la scène.

7. Allusion à la formule proverbiale : « Cette femme est belle à la chandelle, mais le jour gâte tout », qui signifie, comme l'explique Furetière, « que la grande lumière fait aisément découvrir ses défauts ».

8. *Qu'elles sautassent…* : c'est-à-dire du Théâtre du Petit-Bourbon, dont Molière avait l'entière utilisation depuis le départ des Italiens en juillet 1659, aux boutiques des libraires de la galerie marchande du palais de Justice : les trois libraires associés à la vente des *Précieuses ridicules*, Guillaume de Luyne, Charles de Sercy et Claude Barbin, tenaient commerce au Palais.

Page 28.

9. « Ô temps… » : reprise plaisante de la formule célèbre de Cicéron dans la première *Catilinaire*.

10. *Neuf* : novice. « *Neuf* se dit figurément en morale de celui qui n'a point d'expérience […] » (Furetière).

11. La formule, qui désigne avec une révérence ironique les écrivains confirmés, vise plus particulièrement les auteurs de théâtre. La pratique des dédicaces intéressées, des doctes préfaces et des vers de complaisance est trop répandue pour qu'on puisse donner à la moquerie des applications précises. Mais Corneille aurait pu avoir quelques raisons de se sentir visé, au moment où il s'apprêtait à enrichir l'édition de ses œuvres de commentaires théoriques importants, *Discours* et *Examens*. Dans l'avertissement des *Fâcheux*, Molière reviendra avec une égale ironie sur sa capacité à faire, « en grand auteur », de doctes remarques sur ses pièces (*O. C.*, t. I, p. 483).

12. Ici comme plus tard dans *Les Femmes savantes* (acte III, sc. III), afficher sa connaissance du grec est le suprême ridicule du pédant. Comme le nombre des cuistres en réputation de pouvoir « louer en grec » n'était pas si grand, il n'est pas interdit de penser que le trait comique vise plus particulièrement celui qui sera raillé dans *Les Femmes savantes* sous le nom de Vadius, le docte Ménage.

13. Cet emploi du substantif féminin *efficace* est conforme à l'usage, et le père Bouhours condamne l'utilisation d'*efficacité* : « Il y a des prédicateurs et des écrivains qui usent de ce mot ; il n'est point français. Il faut dire *efficace* : le même mot est adjectif et substantif tout ensemble » (*Remarques nouvelles sur la langue française*, 1675 ; 3ᵉ éd., 1692, p. 381).

14. *Se reconnaître* : « reprendre ses sens » (Furetière), retrouver l'usage de la réflexion.

15. *J'aurais voulu…* : sur cette mise au point de l'auteur, voir la Notice, p. 102.

16. *Bernés* : raillés, tournés en dérision.

Page 29.

17. Le *docteur* et le *capitan* sont deux types traditionnels de la farce italienne, illustration comique du faux savoir et de la fausse bravoure. On en trouvera la représentation dans les gravures de l'ouvrage de Louis Moland, *Molière et la comédie italienne*, Didier, 2ᵉ éd., 1867, p. 15 et 19.

18. Trivelin (en italien *Trivellino*) est le nom de scène de l'acteur italien Dominique Locatelli, qui jouait les valets rusés. Avec Scaramouche (Tiberio Fiurelli), il était un des plus fameux comédiens de la troupe italienne qui, depuis 1645, jouait au Petit-Bourbon.

19. *Les véritables précieuses...* : sur cette distinction, voir la Préface, p. 16.

20. Dernière étape obligée de la fabrication de l'ouvrage, à une époque où les livres étaient reliés, en parchemin ou en veau. On en déduit que la pièce est imprimée et que le libraire n'attend plus que la préface pour relier l'ensemble.

LES PERSONNAGES

Page 30.

1. Sur la distribution et les acteurs, voir la Notice, « Le succès d'une troupe », p. 92-96.

2. *Amants rebutés* : dans le langage d'aujourd'hui, ce sont des prétendants éconduits.

3. La qualification de *bon bourgeois* implique une aisance respectable et une forme de considération. Elle s'appliquera à Chrysale, dans *Les Femmes savantes*.

4. Le nom exotique d'Almanzor est tiré du grand roman de Gomberville, *Polexandre* (1632-1637). C'est une conséquence, parmi d'autres, des lectures romanesques des précieuses et de leur pente à projeter la fiction sur la réalité.

5. « On appelle aussi *violons* ceux qui jouent de cet instrument » (Furetière).

SCÈNE PREMIÈRE

Page 31.

1. Calqué sur le *signor* des Italiens, le titre *seigneur*, sur la scène comique française, est une convention de théâtre qui n'apporte aucune indication précise sur le statut social du personnage auquel ce titre est appliqué, à la différence de la tragédie où le titre marque le respect dû au rang. Comme dans la scène V de l'acte V de *L'Avare*, où Anselme et Harpagon se donnent du «seigneur Harpagon» et du «seigneur Anselme», la fiction comique use ici d'une formule qui, d'entrée, inscrit le dialogue dans l'univers du jeu. Nul doute pourtant que les acteurs de ce jeu ne soient de condition noble : leur costume, leur langage, leur colère, sont les premières marques d'un rang que confirmera ultérieurement la «braverie» (sc. XV) des valets, dont on découvre qu'ils ont endossé les habits de leurs maîtres.

Page 32.

2. *Pecque* et *pécore* semblent tirer leur origine du latin *pecus*, qui conduit du bétail à la bêtise. Selon le *Dictionnaire de l'Académie* (1694), la *pecque*, par sottise, s'expose à la duperie : « [...] se dit d'une femme sotte, impertinente, et qui s'en fait accroire.» Au regard du public parisien, la qualité de provinciale explique et renforce le ridicule de la *pecque*.

3. «On dit qu'une femme fait fort la *renchérie* quand elle est vaine et dédaigneuse» (Furetière). Le mot éclaire avec bonheur le glissement de la préciosité vers la prétention : si la précieuse a conscience de son «prix», la *renchérie* surfait ses mérites.

4. Dans une société qui règle avec soin le choix des *sièges* (fauteuil, chaise, tabouret) en fonction de la qualité du visiteur, l'hésitation des précieuses blesse les convenances et peut être perçue comme une marque de mépris.

5. *Quelle heure est-il ?* : la civilité et l'art de plaire dans la conversation condamnent, comme il se doit, ces marques d'ennui. L'inconvenance de ce dédain affiché a été relevée par Mlle de Montpensier dans son *Portrait des précieuses* (1659) : «Quand, dans une compagnie, il ne se trouve qu'une seule précieuse, elle est dans un ennui et un chagrin qui la fatigue fort, elle bâille, ne répond point à tout ce qu'on lui dit, et si elle y répond, c'est tout de travers, pour faire voir qu'elle ne songe pas à ce qu'elle dit [...]. »

6. *Que* pour « sinon », « autre chose que » : tournure conforme au bel usage.

7. La Grange joue sur la polysémie du mot *air* pour glisser de l'idée d'apparence (l'air d'une personne) à celle de contagion (l'air corrompu, le « mauvais air », qui engendre, dit-on, la peste). On trouverait, à l'époque, bien d'autres exemples de cette métaphore médicale appliquée à la corruption du goût : ainsi Boileau, dans son *Dialogue des héros de roman*, parlera de la « pestilente galanterie » des gens du monde (*Œuvres complètes*, Pléiade, p. 448).

8. Simple doublet de « demoiselle » dans l'ancienne langue, *donzelle*, au XVIIᵉ siècle comme aujourd'hui, relève du registre burlesque et « se prend ordinairement en mauvaise part » (Furetière). C'est le sens que lui donne Sganarelle dans *L'École des maris* (acte III, sc. V, v. 947).

9. Le *Dictionnaire de l'Académie* (1694) définit l'*ambigu* comme un « repas où l'on sert en même temps la viande et le fruit [le dessert], en sorte qu'on ne saurait dire si c'est un souper ou une collation ». Par métaphore, le mot a pris la valeur de mélange, et cet emploi figuré a connu, dans la langue mondaine, un certain succès. Mais c'est le seul emploi relevé chez Molière.

10. *Jouer une pièce à quelqu'un*, ce n'est pas seulement lui jouer un tour, bon ou mauvais ; c'est aussi « lui faire [...] quelque affront, lui causer quelque dommage » (Furetière). La machination projetée par La Grange vise à punir les précieuses, et cette « pièce sanglante » (sc. XVI) relève plus, selon la distinction posée par Bernadette Rey-Flaud (*Molière et la farce*, p. 72), de la *beffa* (entreprise de vengeance) que de la *burla* (tour plaisant).

Page 33.

11. La remarque de La Grange montre que la notion de *bel esprit*, à l'aube de l'âge classique, apparaît galvaudée. Mlle de Scudéry dans la cinquième et dernière partie de *Clélie* (1660), le père Bouhours dans ses *Entretiens d'Ariste et d'Eugène* (1671), La Rochefoucauld dans sa réflexion « De la différence des esprits », constateront le discrédit d'un terme qui a cessé de désigner un idéal de distinction intellectuelle pour dénoncer la prétention au brillant.

12. L'homme de *condition* noble, le gentilhomme. On observera, à la suite du père Bouhours, que l'homme de condition ne se confond pas tout à fait avec l'homme de qualité, qui est de naissance supérieure (*Remarques nouvelles sur la langue française*, 1675 ; 3ᵉ éd., 1692, p. 127).

13. La notion de *galanterie* résume les agréments — civilité, élégance, naturel, enjouement, esprit — qui font l'homme du monde accompli.

14. Conformément à l'étymologie, le mot *brutal* (adj. ou subst.), dans la langue classique, renvoie à l'idée de bête brute : il apporte une vigueur singulière à la condamnation de la rudesse et de la grossièreté.

SCÈNE II

1. On comprend qu'il s'agit d'*affaires* amoureuses ; mais l'idée de marché, de transaction, de commerce, reste sous-jacente et donne à la formule un caractère bourgeois.

2. Formule de congé d'une déférence ironique. L'effet est redoublé dans les éditions de 1682 et de 1734 où Du Croisy fait écho à La Grange en répétant : « Vos très humbles serviteurs. »

SCÈNE III

Page 34.

1. Nous sommes ici dans une maison bourgeoise. Par opposition à la salle du rez-de-chaussée, où l'on reçoit (c'est la « salle basse » nommée dans la scène VI), le *cabinet*, situé à l'étage supérieur, relève de l'espace privé. C'est une petite pièce retirée, intime, réservée aux occupations personnelles.

2. Au XVIIᵉ siècle comme aujourd'hui, la langue utilise la forme pronominale, *se pommader*, pour signifier : s'enduire de pommade, se farder. L'emploi absolu de *pommader*, au sens de « s'occuper de pommade », est une création burlesque de Molière, comme « cocufié » dans *Sganarelle* (sc. XVI) ou « tartuffié » dans *Le Tartuffe* (acte II, sc. III).

3. « *Lait virginal* est une certaine liqueur pour blanchir les mains et le visage », écrit Furetière, qui détaille deux façons différentes de composer ce lait de beauté. Richelet propose une autre préparation, plus parfumée puisqu'elle inclut « benjoin, clous de girofle, cannelle, musc et ambre ».

4. *Brimbarions* : encore un mot du registre familier pour désigner de menus objets sans valeur. Il vient du latin *breviarium* et désignait originellement de courtes prières.

5. La colère de Gorgibus fait écho à une longue tradition satirique dirigée contre les artifices de la coquetterie. Peut-être Molière s'est-il souvenu plus précisément d'une comédie de Scarron qui figurait au répertoire de sa troupe, *L'Héritier ridicule ou la Dame intéressée* (1649), où la servante Paquette énumère plaisamment les produits utilisés par les «dames de prix» (c'est la définition même des précieuses) pour renforcer leurs appas : «Blanc, perles, coques d'œufs, lard et pieds de mouton, / Baume, lait virginal et cent mille autres drogues» (acte V, sc. I, v. 1326-1327).

SCÈNE IV

Page 35.

1. *Que* : pour que, au point que.

2. *Procédé irrégulier* : sur cet emploi à la mode, voir, en appendice, «L'idiome précieux», p. 155. Un peu plus loin dans la scène, Cathos jugera la coiffure des prétendants *irrégulière*, comme ici Magdelon leur procédé.

3. La *galanterie* désigne ici un art d'aimer dont Magdelon rappellera les exigences, tirées tout droit des beaux modèles romanesques.

4. *Concubinage* : le mot, d'un réalisme cru, offense d'autant plus la pudeur qu'on y trouve de ces syllabes «déshonnêtes» ou «sales» que les précieuses les plus délicates souhaitaient proscrire (voir *La Critique de l'École des femmes*, sc. V, et *Les Femmes savantes*, acte III, sc. II, v. 909-918).

Page 36.

5. Grief capital dans une société élégante qui a fait du bourgeois, comme du provincial ou du pédant, le repoussoir de la galanterie. «*Bourgeois* se dit quelquefois en mauvaise part par opposition à un homme de la cour, pour signifier un homme peu galant, peu spirituel, qui vit et raisonne à la manière du bas peuple» (Furetière). Même intention péjorative dans le qualificatif de «marchand» appliqué au procédé de ceux qui vont droit au mariage sans suivre les chemins du Tendre.

6. Calembour usé : c'est un de ces «quolibets» que les bourgeois affectionnent, à l'exemple du procureur Vollichon dans *Le Roman bourgeois* de Furetière.

7. *Faire* pour « agir » : le tour est dans l'usage.

8. *De plain-pied* : sans difficulté, sans avoir à fournir d'effort. Cet emploi figuré n'a rien de spécifiquement précieux.

9. Magdelon fait référence à deux romans célèbres de Mlle de Scudéry. Cyrus et Mandane sont les héros d'*Artamène ou le Grand Cyrus* (1649-1653, 10 volumes). Commencée en 1654, la publication de *Clélie, histoire romaine* n'est pas achevée au moment où sont créées *Les Précieuses ridicules*; le dixième et dernier volume, marqué par l'alliance longtemps différée d'Aronce et de Clélie, verra le jour en mars 1660.

10. *Amant* : soupirant.

11. *Pousser*, dans cet emploi, est un mot à la mode, dérivé du langage de l'escrime. Sur ce tour métaphorique comme sur le goût des adjectifs substantivés, voir « L'idiome précieux », p. 156.

12. « *Recherche* signifie aussi la poursuite amoureuse qu'on fait d'une fille ou d'une femme » (Furetière).

13. *Temple*, dans les fictions et le langage soutenu, est la désignation noble et bienséante de l'église. Les rencontres galantes à l'église sont une réalité dont les contemporains s'offusquent. Dans son *Roman comique*, Scarron signale qu'en France comme à Naples, « le temple de Dieu sert de rendez-vous aux godelureaux et aux coquettes » (éd. Folio, p. 60-61). À la même époque, dans sa *Relation du royaume de Coquetterie* (1654), l'abbé d'Aubignac observe qu'on ne va point à l'église pour prier Dieu, « c'est seulement pour voir ou se faire voir, railler, sourire, cajoler, résoudre les parties, prendre assignation de débauches, et faire servir les lieux saints aux pratiques de l'iniquité » (*Voyages imaginaires*, t. XXVI, 1788, p. 330-331). Le code galant semble ignorer ces scrupules.

14. Les romans de Mlle de Scudéry, *Clélie* notamment, offrent des exemples caractéristiques de ces débats galants sur des questions de morale amoureuse : savoir, par exemple, si l'amour est compatible avec la gaieté. Ces réflexions font l'agrément des belles conversations. Elles peuvent aussi prendre la forme d'un jeu, et presque d'un genre littéraire, la « maxime d'amour ». Il est symptomatique à cet égard de voir que M.-C. Desjardins, dans sa *Relation en vers et en prose de la farce des Précieuses*, traduit les principes exposés ici par Magdelon sous la forme de « Règles d'amour » en vers.

Page 37.

15. *Cet aveu qui fait tant de peine* : Done Elvire, dans *Dom Garcie de Navarre* (1661), évoquera l'«effort extrême» d'un cœur qui se résout «à confesser qu'il aime» et consent à avouer «ce qu'on ne dit jamais qu'après de grands combats» (acte III, sc. I, v. 804-811). Cette fierté bienséante, fondée sur «l'honneur du sexe», se transmettra à Célimène (*Le Misanthrope*, acte IV, sc. III, v. 1401-1408).

16. *L'enlèvement* est un de ces ressorts obligés du roman héroïque dont Boileau, Furetière et Sorel se moqueront. Dans le *Dialogue des héros de roman*, composé vers 1665-1666, Diogène signale que Mandane, la fière héroïne du *Grand Cyrus*, a été enlevée huit fois sans que ses ravisseurs, qui «étaient les scélérats du monde les plus vertueux», aient attenté à sa vertu (Boileau, *Œuvres complètes*, Pléiade, p. 455). Furetière, à la même époque, observe que les enlèvements dans les romans sont «si communs» que des lecteurs, «pour marquer l'endroit où ils en étaient d'une histoire, disaient : "J'en suis au huitième enlèvement", au lieu de dire : "J'en suis au huitième tome"» (*Le Roman bourgeois*, éd. Folio, p. 156). Même remarque ironique chez Sorel dans son traité *De la connaissance des bons livres* (1671).

17. «*Faire l'amour*, c'est tâcher de plaire à quelque dame et de s'en faire aimer» (Furetière).

18. Magdelon joue avec une expression proverbiale enregistrée par Furetière, *commencer le roman par la queue*, qui s'emploie «quand on ne dit pas les choses dans leur suite naturelle».

19. Le mot *jargon* sera mainte fois employé à l'époque pour critiquer le langage obscur des précieuses (voir «L'idiome précieux», p. 148 et 160-161). *Baragoin*, un peu plus loin, est du style burlesque.

20. Apparemment, Cathos témoigne d'une parfaite connaissance de la *Carte de Tendre*, qui figurait dans le premier volume de *Clélie* (1654). Elle mêle toutefois aux villages qui jalonnent le chemin conduisant de Nouvelle amitié à Tendre sur Estime (Jolis-Vers, Billets-Galants, Billets-Doux) une étape, Petits-Soins, qui est située sur une autre route du Tendre, celle qui mène à Tendre sur Reconnaissance. Faut-il en déduire que notre précieuse s'égare un peu dans des distinctions trop subtiles ?

21. *Air* : mot à la mode, comme le constate le père Bouhours dans ses *Entretiens d'Ariste et d'Eugène* (1671). Mais si le mot *air* « est tout à fait du bel usage », *bel air* en revanche, en raison d'un usage abusif, tend à s'employer ironiquement « pour se moquer des gens du bel air » (Deuxième entretien ; A. Colin, Bibliothèque de Cluny, 1962, p. 125-126).

Page 38.

22. *Tout unie* : dépourvue de ces ornements de toile que l'on appelle *canons*, dont Mascarille, dans la scène IX, tirera une particulière fierté.

23. *Rabats* : « Pièce de toile que les hommes mettent autour du collet de leur pourpoint, tant pour l'ornement que pour la propreté » (Furetière). Le gentilhomme porte un rabat à dentelles.

24. *Larges* : la mode des hauts-de-chausses de grande ampleur avait été lancée, sous la régence d'Anne d'Autriche, par le duc de Candale. Sganarelle, dans *L'École des maris*, se moque de ces culottes trop larges qu'il compare ironiquement à des « cotillons » (acte I, sc. I, v. 32).

25. *... nous appelez autrement* : c'était l'usage, dans les cercles mondains et les assemblées bourgeoises, de porter des noms poétiques : pour Mme de Rambouillet, prénommée Catherine, Malherbe forgera l'anagramme *Arthénice* ; Mlle de Scudéry sera *Sapho* et Pellisson, *Acante* ; dans *Le Roman bourgeois*, la pédante Phylippote se fait appeler *Hyppolite* (éd. Folio, p. 103).

26. *Spirituelle* : il faut rendre au mot sa valeur la plus forte : la précieuse ne prétend pas seulement avoir de l'esprit, elle aspire à devenir un pur esprit, dégagé des pesanteurs de la matière. Philaminte, dans *Les Femmes savantes* (acte II, sc. VII), portera très haut cette aspiration.

Page 39.

27. Parmi les adverbes d'intensité aimés des précieuses, *furieusement* semble avoir eu la plus grande vogue : « Il n'est point de précieuse qui ne le dise cent fois le jour », écrit Somaize dans son *Grand Dictionnaire*, et cet abus sera souvent raillé. Voir « L'idiome précieux », p. 153.

28. Magdelon, au contraire de Racine, ne lit pas les tragiques grecs, et ce n'est pas dans l'*Hécube* d'Euripide qu'elle a rencontré le nom de *Polyxène*, fille d'Hécube et de Priam, que les Grecs

immolèrent après la chute de Troie. Passionnée de romans, Magdelon a dû emprunter son nom de précieuse à *La Polyxène* de Molières d'Essertines : paru en 1623, plusieurs fois réédité (on relève six éditions au moins jusqu'en 1644), prolongé à deux reprises par des « Suites » (1632 et 1634), ce roman pastoral eut un vif succès. Il est à noter qu'une héroïne de l'abbé de Pure, avant Magdelon, avait choisi de porter ce nom de roman (voir, dans la première partie de *La Précieuse ou le Mystère des ruelles*, l'« Histoire de Polixène, Loïne et Mélasère », éd. E. Magne, t. I, p. 114 et suiv.).

29. Illustré par la pastorale dramatique du Tasse, *Aminta* (1573), le nom d'*Aminte* avait connu une belle fortune dans la littérature mondaine, plus particulièrement dans les fictions pastorales, aux côtés des Sylvie, des Philis, des Climène et des Cloris. La Fontaine célébrera sous ce nom une poétique beauté dans *Le Songe de Vaux* et dans la version publiée d'*Adonis* (1669). On observe avec intérêt que Mlle de Montpensier, dans un récit allégorique où se glissent « beaucoup de choses satiriques contre les dames de la cour » (Segrais), l'*Histoire de la princesse de Paphlagonie*, attribue le nom d'Aminte à la fille aînée de la marquise de Rambouillet, Mme de Montausier : paru en 1659, ce texte est contemporain des *Précieuses ridicules*.

30. *Il n'y a qu'un mot qui serve* : Richelet traduit ainsi cette locution proverbiale : « il faut parler franc et sans déguisement et dire une parole sur quoi on puisse faire quelque fond. »

31. Jusque vers 1665-1670, les deux formes *treuver* et *trouver* coexistent. Mais Vaugelas signalait déjà que *trouver* l'emportait dans la prose et dans l'usage des courtisans : « l'on ne le dit point autrement à la cour » (*Remarques sur la langue française*, 1647, remarque CXXXVII). Bourgeoise et provinciale, Cathos, comme Jodelet vers la fin de la scène XI, marque un léger retard par rapport à l'usage élégant. Nuance effacée à partir de 1674, où *trouve* est substitué à *treuve*.

32. La phobie de la *nudité* est un trait de pudibonderie qui n'a pas manqué de susciter les moqueries des adversaires de la préciosité. Dans une lettre insérée dans ses *Œuvres galantes* (1662), l'abbé Cotin rapporte qu'une précieuse se serait évanouie à la vue d'un « bichon tondu ». On peut penser, avec Micheline Cuénin (éd. citée, p. XVII), qu'il s'agit d'une « galéjade » : mais la plaisanterie n'en reste pas moins révélatrice.

33. *Achevées* : comprenons : des folles achevées.

SCÈNE V

Page 40.

1. *Ma chère* : la *Carte du Royaume des précieuses* publiée en 1658 dans le *Recueil de pièces en prose les plus agréables de ce temps* signale la vogue de cette expression chez les précieuses : ma Chère, Adorable et Divine bordent le chemin conduisant à la capitale, Façonnerie (texte reproduit par M. Cuénin, éd. citée, p. 73). Dans un poème satirique, *Le Cercle*, dont la date de composition est incertaine, Saint-Évremond appelle une précieuse « une Chère » (*ibid.*, p. 77).

2. La distinction entre la *forme* et la *matière* procède de la philosophie aristotélicienne. Cathos joue à la savante pour affirmer avec autorité la primauté de l'esprit, de l'âme raisonnable, sur le corps.

3. *Développer* pour « dévoiler » est dans l'usage. Le rêve d'une origine illustre prend appui sur un grand *topos* romanesque, celui de la naissance obscure et de la substitution d'identité, qui appelle le poncif de la « reconnaissance ».

SCÈNE VI

Page 41.

1. Furetière, qui a enregistré cette métaphore précieuse, l'explique ainsi : « Les précieuses ont appelé un laquais un *nécessaire*, parce qu'on en a toujours besoin. »

2. Ce *latin* est ce que l'on appellerait aujourd'hui du chinois ou de l'hébreu, autrement dit un langage inintelligible. La satire du jargon précieux exploite un procédé comique éprouvé dont Scarron avait usé avec brio dans la scène II du premier acte de *Dom Japhet d'Arménie*. Pour se faire entendre d'un simple bailli, Dom Japhet doit « humaniser » son discours et consentir à traduire « en vulgaire » son « sublime langage ». Comme Dom Japhet, les précieuses, pour être comprises de Marotte, devront se résoudre à « démétaphoriser ».

3. La graphie *Cyre* souligne la confusion plaisante de Marotte entre *Grand Cyrus* et « grand sire ».

4. *L'impertinente* : la sotte.

5. Si, au lieu de s'enfermer dans les romans de Mlle de Scu-

déry, les précieuses avaient lu *Le Roman comique* de Scarron, elles auraient su que le titre de marquis est des plus suspects «en un temps où tout le monde se marquise de soi-même, je veux dire de son chef» (éd. Folio, p. 65).

6. *Salle basse* : sur la disposition des lieux, voir la note 1 de la scène III.

7. *Dedans* : dans un cabinet attenant à la salle.

8. *Le conseiller des grâces* : de Martial (*Épigrammes*, IX, 17) à Tristan («Pour une excellente beauté qui se mirait», *Plaintes d'Acante*, 1633) et à l'auteur du *Livre des plaisirs des dames*, François de Grenaille (1641), l'image du miroir conseiller de la beauté ou de la grâce est restée une délicate invention poétique. Transposée dans la langue des échanges quotidiens, l'image poétique se dégrade en périphrase obscure et ridicule. Voir «L'idiome précieux», p. 160.

9. *Parler chrétien*, c'est-à-dire parler comme tout le monde pour être entendu de chacun. C'est précisément ce que refusent les précieuses, qui aspirent à se distinguer du commun.

SCÈNE VII

Page 42.

1. L'incongruité de cette entrée de Mascarille touche à l'absurde et crée un irrésistible effet comique.

Page 43.

2. En revendiquant sa *qualité*, Mascarille tranche du grand seigneur (voir la note 12 de la scène I).

3. *Vitement* : «C'est la même chose que vite», écrit Furetière. Rien de populaire par conséquent dans cet adverbe que Magdelon emploie, de son côté, dans la scène X. Au début du XVIIIᵉ siècle, *vitement* sera perçu comme vieilli et bas (*Dictionnaire de l'Académie*, 1718).

4. Immédiatement, sans tarder.

5. *Raisonnable* : on peut hésiter entre le tour impersonnel (voilà qui est raisonnable) et un jugement visant la personne du porteur (c'est un homme raisonnable). Les éditions de 1682 et de 1734 trancheront en faveur de la deuxième interprétation en modifiant la réplique ainsi : «Il est raisonnable, celui-là.»

Page 44.

6. Mascarille fait état d'une faveur que le roi réserve à l'élite de ses courtisans : « [...] on appelle à la cour le *petit coucher* l'intervalle de temps qui est entre le bonsoir qu'il donne à tout le monde étranger et le moment où il se couche effectivement, pendant lequel il demeure avec les officiers les plus nécessaires de sa chambre, ou avec ceux qui ont un privilège particulier pour y rester » (Furetière).

SCÈNE VIII

1. En accord avec l'air cavalier que se donne Mascarille, le mot *posté* a gardé ici sa couleur militaire, même si son usage tend à s'étendre.

SCÈNE IX

Page 45.

1. À la représentation, la révérence de Mascarille est en accord avec son costume : extravagante et outrée, elle se transforme en pantomime bouffonne.

2. *Mesdames* est d'une politesse flatteuse pour de jeunes bourgeoises à qui l'on donne, pour l'ordinaire, du *Mademoiselle*. Mais les précieuses ont dressé Almanzor et Marotte à l'usage de *Madame*, réservé aux personnes de qualité.

3. *Je m'inscris en faux* : la sévérité des mondains pour le style du Palais a épargné cette formule d'origine juridique, qui est admise dans la conversation.

4. *Pic, repic et capot* : formule dérivée du jeu de piquet : elle désigne un triple coup gagnant. L'emploi figuré est assez rare pour que Somaize le mentionne dans son premier *Dictionnaire des précieuses* (1660) en le traduisant ainsi : « Vous allez surpasser tout ce qu'il y a de plus galant dans Paris. »

Page 46.

5. La *franchise*, dans la langue galante, désigne la liberté et s'oppose à l'esclavage amoureux, les « fers ».

6. *Insulte* et *insulter* sont donnés comme des mots nouveaux par Vaugelas, qui les juge excellents. Ils impliquent l'idée d'attaque, d'agression, et sont employés avec cette valeur propre dans la langue militaire. *Insulte*, écrit Furetière, « se dit d'un assaut qu'on donne à une place brusquement et à découvert sans l'assiéger par les formes ». Magdelon, un peu plus loin, parlera des « insultes de la boue ».

7. *Traiter de Turc à More* : sans ménagement, « à la rigueur et en ennemi déclaré » (Furetière), par allusion à la domination rigoureuse des Ottomans sur les Maures d'Afrique.

8. *Garde meurtrière* : bien qu'on ne la trouve pas dans les manuels spécialisés, l'expression relève, à l'évidence, du langage de l'escrime ; la galanterie de Mascarille est celle de l'homme d'épée, ou veut passer pour telle.

9. *Gagner au pied* : prendre la fuite (style familier).

10. *Je veux caution bourgeoise* : j'exige une garantie solide (formule empruntée à la langue du droit).

11. *Amilcar*, un des plus séduisants personnages de *Clélie*, illustre les agréments de la gaieté et de l'esprit. Ce modèle du galant enjoué rend hommage au poète Sarasin.

Page 47.

12. Si le mot *prud'homme* a vieilli, au point de ne plus désigner l'homme sage, mais un vieillard « qui vit à l'ancienne mode » (Furetière), *prud'homie* est resté dans l'usage, avec la valeur positive de probité, de parfaite loyauté.

13. *Embrasser* : au XVIIe siècle comme aujourd'hui, les accoudoirs du fauteuil s'appellent des *bras*. La langue connaît par ailleurs la locution « tendre les bras » : appliquée aux bras du fauteuil, elle crée un effet plaisant de personnification que l'usage a conservé. Mais le redoublement de la figure fait lourdeur et introduit le ridicule. Robinet, dans son *Panégyrique de l'École des femmes* (1663), renchérira sur Molière en prêtant à un laquais bel esprit la variation suivante : « Madame, si j'osais parler pour ces pauvres muets [les fauteuils], je vous dirais qu'ils vous tendaient les bras, par pitié de vous voir en cet état de violence, et qu'ils semblaient

se plaindre de l'inexorabilité que vous leur témoignez » (Molière, *O. C.*, t. I, p. 1070).

14. *Après s'être peigné* : Mascarille se conforme à une mode que Sorel a signalée dans un ajout à ses *Lois de la galanterie*, en 1658 : « Après que vous serez assis et que vous aurez fait vos premiers compliments, [...] il sera bienséant d'ôter le gant de votre main droite et de tirer de votre poche un grand peigne de corne, dont les dents soient fort éloignées l'une de l'autre, et de peigner doucement vos cheveux, soit qu'ils soient naturels ou empruntés [...] » (p. 82). Cet usage est confirmé par Furetière dans son *Roman bourgeois* (1666), où le galant avocat Nicodème, pour aller cajoler les dames, se coiffe « d'une belle perruque blonde, très fréquemment visitée par un peigne qu'il avait plus souvent à la main que dans sa poche » (éd. Folio, p. 34).

15. Cathos, dans la scène IV, condamnait comme une incongruité en galanterie « une jambe tout unie », dépourvue de cet « ornement de toile rond fort large et souvent orné de dentelle qu'on attache au-dessus du genou, qui pend jusqu'à la moitié de la jambe pour la couvrir » (Furetière), que l'on appelle *canon*. Mode déjà ancienne, puisque Sorel la mentionne dans la première édition des *Lois de la galanterie* en 1644. En 1658, deux voyageurs hollandais, Philippe et François de Villiers, notent l'ampleur excessive des canons : « L'extravagance des canons devient plus insupportable que jamais. [...] On les fait d'une si horrible et si monstrueuse largeur qu'on est tout à fait contraint et contrefait en sa démarche » (*Journal d'un voyage à Paris*, éd. A. P. Faugère, B. Duprat, 1862, p. 449).

16. Cet emploi figuré d'*antipode* trouve son origine chez Balzac (voir R. Lathuillère, *op. cit.*, p. 155). Les exemples relevés chez Chapelain et Scarron montrent que la locution peut servir à l'éloge (l'antipode du sot) ou à la critique (l'antipode des grâces, du bon sens).

17. L'éloge de la capitale est un lieu commun. Mascarille fait écho à Sorel qui, au début des *Lois de la galanterie*, rappelle que « c'est dans Paris, ville capitale en toutes façons », qu'il faut chercher la source des belles manières, de l'élégance et de la politesse.

18. Venu d'Angleterre, l'usage des *chaises* à porteurs couvertes est récent : le brevet pour la location des chaises est accordé en 1639. Sorel recommande aux galants soucieux de se préserver de la boue de recourir à cette « nouvelle commodité si utile ». En rai-

son de son coût élevé (une bourgeoise de la place Maubert, dans *Le Roman bourgeois*, se plaint d'avoir dû payer un écu pour aller jusqu'à Notre-Dame), ce mode de transport est réservé à une élite (*Le Roman bourgeois*, éd. Folio, p. 55).

19. *Les insultes de la boue* : Magdelon traduit en style relevé une réalité que Mascarille avait exprimée d'un mot plus familier. Mais *crotté* est d'usage pour désigner les désagréments auxquels sont exposés les passants dans des rues dont la malpropreté est proverbiale.

Page 48.

20. *Recueil des pièces choisies* : il s'agit du recueil de *Poésies choisies* publié avec succès par le libraire parisien Charles de Sercy. Cinq volumes paraîtront de 1653 à 1660, offrant une copieuse anthologie de la poésie galante à la mode. Quand on sait que Corneille, Benserade, Scudéry, Cotin et beaucoup d'autres encore étaient représentés, on mesure les ambitions que nourrit Magdelon.

21. *Car enfin* est une expression chère à Mlle de Scudéry. Gabriel Guéret, dans sa *Carte de la cour* (1663), y voit une formule caractéristique du « Quartier de Tendre ». Voir « L'idiome précieux », p. 151.

22. La *Préface* du *Grand Dictionnaire historique des précieuses* (1661) confirme la nécessité, pour les précieuses, d'être « connues de ces Messieurs, que l'on appelle auteurs » (p. 6-7). Par ces échanges, les héroïnes des ruelles et les écrivains mondains entretiennent réciproquement leur réputation.

23. Faut-il comprendre que la fréquentation de tel écrivain réputé peut faire naître d'autres bruits ?

24. *Spirituelles* : qui exercent l'esprit.

Page 49.

25. Le cinquième volume du recueil de Sercy (1660) contient, entre autres poèmes de Mlle Desjardins, un sonnet non signé intitulé *Jouissance*, dont la vive sensualité fit quelque bruit (texte cité par A. Adam dans son édition des *Historiettes* de Tallemant des Réaux, Pléiade, t. II, note 4 de la p. 901). Cette pièce était contemporaine des *Précieuses ridicules* et fut d'abord imprimée, si l'on en croit Tallemant, à la suite du *Récit en prose et en vers de la farce des Précieuses*, dans l'édition de 1659 aujourd'hui perdue.

26. *Un clou* : la liberté de la conversation autorise cette expression familière, qui donne au propos un tour vif et piquant.

27. Sorel, dans les *Lois de la galanterie*, a relevé cet attrait des ruelles pour les nouveautés littéraires. Rien de plus galant que d'offrir aux dames la copie des pièces qui courent en manuscrit ou quelques feuilles d'un roman en cours d'impression (éd. Ludovic Lalanne, A. Aubry, 1855, p. 22-23).

28. « *Ruelle* se dit [...] des alcôves et des lieux parés où les dames reçoivent leurs visites, soit dans le lit, soit sur des sièges. Les galants se piquent d'être des gens de *ruelles*, d'aller faire de belles visites. Les poètes vont lire leurs ouvrages dans les *ruelles* pour briguer l'approbation des dames » (Furetière).

29. *Chansons, sonnets, épigrammes, madrigaux*, ont la faveur des poètes mondains, et les copieux volumes du recueil de Sercy confirment l'abondance d'une production facile et frivole que l'abbé d'Aubignac, dans sa *Relation du royaume de Coquetterie* (1654), nommera plaisamment les « menues denrées du Mont Parnasse ».

Page 50.

30. *Les portraits* sont alors dans leur plus grande vogue, comme en témoigne en 1659 la publication du recueil de *Divers portraits*, né dans le cercle de Mlle de Montpensier, et du *Recueil de portraits et éloges dédiés à S.A.R. Mademoiselle*, publié par Barbin et Sercy. Dans une note datée de 1658, Tallemant des Réaux accuse Mlle de Scudéry, qui a multiplié les portraits de ses contemporains dans *Le Grand Cyrus* et *Clélie*, d'être à l'origine « de cette sotte mode de faire des portraits qui commencent à ennuyer furieusement les gens » (*Historiettes*, Pléiade, t. II, p. 691). Molière, apparemment, est du même avis.

31. *Énigmes* : l'abbé Cotin, à l'époque, fait figure de spécialiste du genre. Il avait publié, en 1645, un *Recueil des énigmes de ce temps* qui sera plusieurs fois réédité. Ses *Œuvres mêlées*, imprimées en avril 1659, contenaient 90 énigmes précédées d'un *Discours sur les énigmes* et d'une *Lettre à Damis* sur le même sujet.

32. *L'histoire romaine* : M. de La Sablière, surnommé « le grand madrigalier » par Conrart, est considéré comme le maître du madrigal. Mais on se tromperait en imputant à cet aimable poète l'idée saugrenue de « mettre en madrigaux toute l'histoire romaine ». Ce projet absurde pourrait faire allusion à un certain La Fosse, qui avait entrepris, selon Tallemant, de traduire Tacite en huitains (*Historiettes*, t. II, p. 869). Sorel, dans son traité *De la connaissance des bons livres* (1671), montre qu'on a gardé le souvenir « d'un poète extravagant qui voulait mettre les conciles en vers alexandrins et

l'histoire romaine en madrigaux» (éd. Lucia Moretti Cenerini, Rome, Bulzoni, 1974, p. 177). Ces railleries ne dissuaderont pas Benserade de publier, en 1676, *Les Métamorphoses d'Ovide en rondeaux*.

Page 51.

33. Cette forme de subjonctif est approuvée par Vaugelas qui constate qu'au singulier, elle est «fort en usage, et en parlant, et en écrivant» (*Remarques sur la langue française*, 1647, remarque CCCXVII).

34. *Impromptus* : pour briller dans les ruelles, un galant doit savoir faire des vers «avec toute la facilité imaginable» (Somaize, *Le Grand Dictionnaire historique des précieuses*, p. 60) : l'impromptu, petit poème improvisé — ou prétendu tel —, met en valeur la vivacité du bel esprit.

35. L'impromptu de Mascarille fait écho à un divertissement mondain décrit par Sorel dans sa *Maison des jeux* (1642 ; rééd. 1657), le jeu de la perte du cœur, où l'un des participants prétend qu'une dame de la compagnie lui a dérobé son cœur, obligeant celle-ci à se défendre avec esprit. Le thème du cœur dérobé est un poncif de la poésie galante, et la chute de l'impromptu reproduit le refrain d'une chanson qu'Édouard Fournier a retrouvée dans un ancien recueil, *La Fleur des chansons nouvelles* (1614) :

> *Ô voleur ! ô voleur ! ô voleur !*
> *Rends-moi mon cœur, que tu m'as pris.*

On mesure par là les limites de l'invention dont Mascarille se fait gloire.

36. Mascarille définira un peu plus loin cet *air cavalier* en faisant observer que tout ce qu'il fait porte un caractère naturel : «c'est sans étude». Cette aisance de l'homme d'épée s'oppose à l'air contraint de l'homme d'étude, le pédant. En chant comme en poésie, Mascarille composra «à la cavalière».

Page 52.

37. Rappelons que le *poème épique* se place au sommet de la hiérarchie des genres littéraires : le spectateur n'a pas les mêmes raisons que Mascarille d'estimer que Magdelon a «le goût bon».

38. *Tudieu* : ce juron cavalier, abréviation de «vertu de Dieu», veut être encore une marque de la supériorité désinvolte de l'homme d'épée.

Page 53.

39. *Tapinois*, selon Richelet, est un « mot vieux et burlesque » : la satisfaction de Mascarille comme l'approbation des précieuses fait éclater le ridicule de la sottise et du mauvais goût.

Page 54.

40. *… sans avoir jamais rien appris* : le mot de Mascarille traduit une présomption aristocratique dont Scarron fait le procès, à la même époque, dans son *Épître chagrine à Monseigneur le maréchal d'Albret*. Molière, en 1661, mettra au premier rang des « fâcheux » qu'il introduit sur la scène un courtisan, Lysandre, qui se pique de musique et de danse (*Les Fâcheux*, acte I, sc. III).

41. *L'air* chanté par Mascarille n'a pas été conservé.

42. *Chromatique* : Magdelon, par ce terme technique, se pose en « connaisseuse » ; en réalité, elle se borne à substituer à l'appréciation de Cathos, qui juge l'air « passionné », un mot savant désignant un genre de musique « qui abonde en demi-tons » (Furetière) et dont on s'accordait à reconnaître le pouvoir expressif.

43. *Le fin du fin* : dans ses *Entretiens d'Ariste et d'Eugène* (1671), le père Bouhours note la fortune de cet emploi substantivé de *fin*. Voir « L'idiome précieux », p. 153.

Page 55.

44. *Cette force-là* : qu'il implique l'idée d'énergie (je n'ai rien vu de cette puissance) ou qu'il prenne le sens atténué qui tend à s'introduire dans l'usage (je n'ai rien vu de cette valeur), le jugement de Cathos est une énorme sottise. Dans *De la connaissance des bons livres* (1671), Sorel observe la vogue, chez les gens du monde, de l'expression *cela est fort* (éd. citée, p. 352).

45. Mascarille continue d'observer les recommandations données par Sorel dans *Les Lois de la galanterie* (éd. augmentée de 1658), où le fait de conduire les dames au théâtre pour leur faire voir les pièces nouvelles fait partie des obligations du galant.

Page 56.

46. Dans la première scène des *Fâcheux* (1661), Molière fera le portrait d'un homme « du bel air » qui se pique de connaître les lois du théâtre et prétend que Corneille lui vient lire « tout ce qu'il fait » (v. 54).

47. *Devant que* et *avant que* coexistent. Vaugelas estime que «tous deux sont bons», bien que le second paraisse «plus de la cour, et plus en usage» (remarque CCLXXIV).

48. *La mine* : Sorel, dans son traité *De la connaissance des bons livres* (1671), a relevé la vogue de cette expression chez les gens du monde. Voir «L'idiome précieux», p. 155.

49. *Comédie* : au sens général de pièce de théâtre.

Page 57.

50. *Grands comédiens* : c'est l'expression en usage pour désigner les comédiens de l'Hôtel de Bourgogne, qui portent le titre de «Comédiens du Roi».

51. La rivalité entre la troupe du Petit-Bourbon et les comédiens de l'Hôtel de Bourgogne prend la forme d'une opposition entre deux styles de jeu. Défenseur d'une diction plus naturelle, qui bouscule les usages de l'interprétation des œuvres tragiques, Molière se moque du jeu emphatique des «grands comédiens». Le trait s'applique tout particulièrement à l'acteur Montfleury, au sujet duquel Donneau de Visé observait, dans ses *Nouvelles nouvelles* (1663, t. III, p. 255), qu'il «ne manque jamais de faire remarquer tous les beaux endroits de ses rôles». Au siècle suivant, dans un article du *Mercure de France* (1738), Mlle Poisson justifiera la diction passionnée de Montfleury en rappelant que de tels effets étaient alors à la mode : «Le chant et l'emphase étaient le seul genre de déclamation qui fût alors connu.» Des *Précieuses ridicules* à *L'Impromptu de Versailles* (1663), la polémique s'avive, et Molière se raille ouvertement du jeu de Montfleury et de la manière appuyée dont l'acteur quêtait l'approbation du public (*L'Impromptu*, sc. I, *O. C.*, t. I, p. 680).

52. «*Brouhaha* : bruit sourd et confus qu'on entend dans les assemblées où on fait des discours publics et où on donne des spectacles, lequel témoigne l'admiration ou l'applaudissement des assistants, quand il s'y trouve quelque chose d'éclatant et qui touche l'esprit» (Furetière).

53. «*Petite oie* se dit figurément des rubans et garnitures qui servent d'ornement à un habit, à un chapeau, etc.» (Furetière).

54. Par référence à *congru, incongru, congrûment*, on comprend aisément que *congruante* signifie «convenable», «assortie», mais cet adjectif ne figure dans aucun dictionnaire du temps. On relève toutefois un exemple antérieur à Molière dans une comédie bur-

lesque de Thomas Corneille, *Dom Bertran de Cigarral* (1651, acte III, sc. VI).

55. *Perdrigeon* : mercier parisien en renom.

Page 58.

56. Le *quartier* est la quatrième partie de l'aune : environ trente centimètres.

57. Les gants parfumés, notamment à la frangipane, sont depuis longtemps à la mode : les plus prisés de ces « gants de senteur » viennent de Rome.

58. *Le sublime* : en style précieux, le cerveau. C'est la traduction que donne Somaize dans son premier *Dictionnaire des Précieuses*.

59. « Les cavaliers portent sur leurs chapeaux des panaches de plumes d'autruche » (Furetière, article *panache*).

Page 59.

60. *Un louis d'or*, autrement dit 11 livres, soit environ 300 F de notre monnaie. Prix exorbitant, qui relève de l'exagération comique.

61. *Chaussette* : « bas de toile qui n'a point de pied, et qu'on met sur la chair, et sous le bas de dessus » (Richelet). Magdelon apporte une preuve bien triviale de sa « délicatesse ».

62. *Droit* est la leçon de toutes les éditions antérieures à 1734 : elle est conforme à l'usage du XVIIᵉ siècle, comme l'attestent les exemples relevés par Ch. L. Livet dans son *Lexique de la langue de Molière* (Imprimerie nationale, t. II, 1896).

SCÈNE X

Page 61.

1. *Vitement* : voir la note 3 de la scène VII.

SCÈNE XI

1. *S'embrassant* : le jeu de théâtre, d'un grand effet comique, fait éclater le ridicule des démonstrations intempestives d'amitié chez les gens du bel air. Molière raillera de nouveau cette mode

dans *Les Fâcheux* (acte I, sc. I, v. 99-102) et dans *Le Misanthrope* (acte I, sc. I, v. 120).

Page 62.

2. *Voyez-vous pas* : la réduction de la négation à *pas* dans une construction interrogative est courante. Cf. la première réplique de Gorgibus dans la scène IV, p. 35 : « Vous avais-je pas... ».

3. Cette *pâleur* de Jodelet correspond au visage enfariné du farceur. Sans doute le trait comique prend-il aussi appui sur le fait que Jodelet, à cette date, est un acteur vieilli : il a passé la soixantaine et mourra quatre mois plus tard, le 26 mars 1660. Outre l'âge, sa santé était compromise, si l'on en croit Tallemant, par les séquelles d'une « vérole » mal soignée (*Historiettes*, éd. citée, t. II, p. 778). Pour les initiés, la réplique de Jodelet sur les « veilles de la cour » et les « fatigues de la guerre » devait avoir la saveur comique de l'équivoque.

Page 63.

4. Furetière éclaire l'origine de cette locution familière, qui dérive du langage technique qualifiant la qualité d'un velours par le nombre de fils de soie employés dans la trame. Cette qualité de fabrication était spécifiée dans la lisière du tissu par des fils de couleur, les « poils » : un velours *à trois poils* était de qualité supérieure.

5. *Occasion* : combat ; une « chaude occasion » (voir la réplique suivante) est un combat particulièrement périlleux.

6. L'ordre de *Malte*, engagé depuis sa fondation au XIᵉ siècle dans la lutte contre les infidèles, s'employait, au XVIIᵉ siècle, à protéger en Méditerranée les bâtiments chrétiens menacés par les pirates barbaresques. Mêler la cavalerie aux galères de Malte, faut-il le préciser, est une idée parfaitement saugrenue.

7. *Gens de service* : Jodelet joue avec l'équivoque : la figure de l'officier attaché au service du roi masque celle du valet au service de son maître.

Page 64.

8. Cet emploi étendu d'*assaisonner* n'a rien de spécifiquement précieux. « Quand on fait du bien », écrit, par exemple, Mme de Sévigné, « on l'assaisonne d'agrément, et cela est délicieux » (lettre du 30 juillet 1677, *Correspondance*, Pléiade, t. II, p. 507-508).

9. La *demi-lune* est un ouvrage de fortification formant un

angle saillant. «On la mettait autrefois à la pointe du bastion, où le fossé étant arrondi a été cause qu'on lui a donné ce nom» (Furetière).

10. *Le Siège d'Arras* : la mention d'un assaut victorieux donne à penser que Molière fait allusion au siège de 1640, par lequel le maréchal de La Meilleraye se rendit maître de la ville, qui était aux mains des Espagnols. En 1654, les troupes espagnoles commandées par Condé avaient tenté de reprendre la place, mais Turenne dispersa les assiégeants.

11. La plaisanterie de Jodelet fait écho à une «naïveté» attribuée au marquis de Nesle, gouverneur de La Fère, que Tallemant des Réaux rapporte dans ses *Historiettes* : «comme on eut proposé de faire une *demi-lune*, il dit : "Messieurs, ne faisons rien à demi pour le service du Roi ; faisons-en une tout entière"» (Pléiade, t. II, p. 101).

Page 65.

12. *Coup de mousquet* : une tradition ancienne, signalée par Bret (1773) et par Cailhava (1802), prêtait ici à Mascarille un lapsus comique : «C'est un coup de cotret [de bâton]…», vite corrigé en : «un coup de mousquet, veux-je dire.»

13. *Gravelines* : cette place forte de la frontière du Nord, âprement disputée aux Espagnols, avait été enlevée en 1644 et venait d'être reprise par le maréchal de La Ferté en 1658.

14. Depuis que Mascarille a mis la main «sur le bouton de son haut-de-chausses», la farce joue avec l'équivoque licencieuse.

15. L'entretien d'un *carrosse* et de son attelage est une marque de distinction sociale, et Sorel, dans ses *Lois de la galanterie*, recommande cette dépense à tous ceux qui prétendent faire figure dans le monde : «De quelque condition que soit un galant, nous lui enjoignons d'avoir un carrosse s'il en a le moyen, d'autant que lorsque l'on parle aujourd'hui de quelqu'un qui fréquente les bonnes compagnies, l'on demande incontinent : a-t-il carrosse ?, et si l'on répond que oui, l'on en fait beaucoup plus d'estime» (éd. L. Lalanne, A. Aubry, 1855, p. 8).

Page 66.

16. Depuis Marie de Médicis, il est de bon ton de se promener en carrosse à la belle saison. Les promenades à la mode sont situées à l'extérieur de l'enceinte qui entoure Paris. À l'est, par la

porte Saint-Antoine, on accède au Cours Saint-Antoine qui conduit vers le bois de Vincennes ; à l'ouest, il faut franchir la porte de la Conférence, à l'extrémité du jardin des Tuileries, pour se promener le long du Cours de la Reine (voir Marcel Poète, *La Promenade à Paris au XVIIᵉ siècle*, A. Colin, 1913).

17. *Cadeau* se dit d'une collation qu'on offre à des dames, particulièrement lors d'une promenade à la campagne.

18. Il est d'usage de donner aux laquais le nom de leur province d'origine ou un sobriquet. *Casquaret*, ordinairement orthographié *Cascaret*, relève de cette dernière catégorie : « homme d'apparence mince et chétive », selon Littré ; c'est le nom d'un valet dans *Le Parasite* de Tristan (1653). Si l'on considère que le nombre des laquais est une marque de distinction sociale, l'appel de Mascarille suggère une suite qui dépasse celle d'un grand. Cette prétention comique fait très précisément écho à celle du Capitan mis en scène par Tristan dans *Le Parasite* (acte I, sc. V, v. 235-243).

Page 67.

19. *Les braies nettes* : associée au thème galant des « libertés » menacées par l'amour (voir la note 5 de la scène IX), cette locution triviale, d'une rudesse soldatesque, crée une alliance hautement burlesque.

20. *Véritable* : sincère.

21. *Treuve* : voir la note 31 de la page 129.

Page 68.

22. Dans son *Dictionnaire*, à l'article *inpromptu* (graphie conforme à l'étymologie latine : *in promptu*), Furetière observe ironiquement que bien des gens « font passer des pièces pour des *inpromptu*, qui ont été méditées à loisir ». *Le Roman bourgeois* évoque la pratique des « impromptus de poche », qui pallient les défaillances de l'inspiration. Ce bon mot avait été lancé par un familier du salon de Mlle de Scudéry, le poète Samuel Isarn, lors de la fameuse « Journée des madrigaux » (20 décembre 1653).

SCÈNE XII

Page 69.

1. *Les âmes des pieds* : la périphrase désigne les joueurs de violon, dont la musique a le pouvoir d'animer les pieds des danseurs.

2. *Sans doute* : sans aucun doute, assurément.

Page 70.

3. Avec une élégante maîtrise. Somaize, dans son *Grand Dictionnaire des précieuses* (1660), traduit plus simplement *il danse proprement* par : « il danse bien ».

4. *Ma franchise va danser la courante* : comprendre : « Ma liberté va être mise à l'épreuve », par allusion à la locution familière « faire danser quelqu'un », lui susciter des désagréments.

SCÈNE XIII

Page 71.

1. C'est la formule qu'employait Mascarille à l'adresse des porteurs dans la scène VII : à son tour d'apprendre « à se connaître », c'est-à-dire à prendre conscience de sa vraie condition.

SCÈNE XV

Page 73.

1. *Braverie* : « Magnificence d'habits » dit le *Dictionnaire de l'Académie* (1694), qui précise que le terme est bas.

2. *Ô Fortune…* : cette parodie de l'apostrophe tragique confirme, chez Mascarille, une vocation de comédien.

3. Sur le jeu de scène qui, par tradition, accompagnait le déshabillage des valets, voir « Les Précieuses ridicules à la scène », p. 109.

4. *Hardes* désigne, sans nuance péjorative, « ce qui sert à l'habillement ou à la parure d'une personne » (*Dictionnaire de l'Académie*, 1694).

SCÈNE XVI

Page 74.

1. *Une pièce sanglante* : voir la note 10 de la scène I.

Page 75.

2. Après l'apostrophe à la Fortune inconstante (scène XV), Mascarille étend la parodie du registre noble au thème de la fragilité des grandeurs humaines.

3. *La vertu toute nue* : la situation du valet, dépouillé de sa « braverie », donne à la formule un sens piquant.

SCÈNE XVII

Page 76.

1. Le jeu de mots sur *sonnets* et *sonnettes* fait écho à une boutade de Malherbe rapportée par Racan : à ce dernier, qui lui faisait observer qu'un sonnet dont les deux quatrains n'avaient pas les mêmes rimes n'était pas véritablement un sonnet, Malherbe aurait répliqué : « Eh bien Monsieur, si ce n'est un sonnet, c'est une sonnette » (Racan, *Vie de Monsieur de Malherbe*, éd. M.-F. Quignard, Gallimard, Le Promeneur, 1991, p. 23). Ce mot fut jugé assez plaisant pour être retenu par Tallemant dans son historiette sur Malherbe (Pléiade, t. I, p. 122) et pour que Segrais le mentionne dans ses *Mémoires anecdotes*, plus connus sous le nom de *Segraisiana*, publiés en 1721.

L'IDIOME PRÉCIEUX

LE BEL USAGE

Tous les mondains du XVIIe siècle le savent, et ne cessent de le dire : il est un ton, un air, un caractère *galant*, fait d'aisance et de bonne grâce, d'élégance, de légèreté, de délicatesse, d'enjouement, sans compter bien des agréments plus subtils encore qui échappent aux définitions et relèvent du «je ne sais quoi». En dépit de tous les ouvrages qui s'attachent à en préciser les qualités, l'air galant ne s'enseigne pas et ne peut s'acquérir qu'à l'école du monde, dans le commerce de la belle société et la conversation des gens d'esprit, et plus particulièrement au contact des arbitres de la politesse et du goût que sont les femmes.

Dans le langage comme dans le vêtement ou les manières, l'air galant implique une attention précise au bel usage. La politesse qui régit l'usage mondain de la langue traduit la supériorité d'une élite qui a fait du bien-dire une marque essentielle de distinction sociale. Vaugelas le rappelle avec force dans la préface de ses *Remarques sur la langue française* (1647) : en matière de langage, le bel usage et le bon usage se confondent, nul ne saurait se soustraire à leur autorité sans s'exposer au ridicule, au point qu'«il ne faut qu'un mauvais mot pour faire mépriser une personne dans une compagnie». À la même époque, s'attachant à définir, sur le mode mi-sérieux mi-plaisant qui sied aux pièces galantes, les exigences de l'élégance mondaine, Charles Sorel n'omet pas d'introduire dans ses *Lois de la galanterie* (1644) une série de remarques touchant à la politesse du langage : «Vous parlerez toujours avec les termes les plus polis que la cour reçoive dans son usage […]. Au reste, s'il y a des mots que l'on ait inventés depuis peu et dont les gens du monde prennent plaisir de se servir, il en faut faire comme des modes nouvelles des habits, c'est-à-dire qu'il s'en faut servir aussi hardiment, quelque bigearrerie [bizarrerie] que l'on y puisse trouver, et quoique les grammairiens et faiseurs de livres les reprennent.» Et Sorel de conclure que ces termes et ces tours à la mode dont usent les gens du monde sont comme un brevet de distinction : «[...] qui parlerait autrement pourrait passer pour bourgeois et pour un homme qui ne voit pas les honnêtes gens» (éd. L. Lalanne, A. Aubry, p. 24-25).

Ce n'est pas sans ironie que Sorel recommande d'utiliser avec hardiesse les mots et les tours à la mode, quelle qu'en soit la bizarrerie. La quatrième partie de son traité *De la connaissance des bons livres* (1671), qui traite «de la manière de bien parler et de bien écrire en notre langue, du bon style et de la vraie éloquence, et du nouveau langage français», apporte un point de vue plus critique. Contestant la prétention des gens de qualité à s'ériger en «maîtres de l'usage», Sorel n'accorde au langage à la mode d'autre vertu que d'offrir aux personnes qui se piquent d'élégance un moyen commode d'affirmer leur distinction en usant d'expressions qui ne sont pas moins convenues que ces locutions familières aux gens du peuple qu'on appelle des «quolibets» : «On peut dire aussi que ce sont les quolibets galants, ou les quolibets du beau monde» (éd. Lucia Moretti Cenerini, Rome, Bulzoni, p. 363).

Plus respectueux que Sorel de l'autorité des gens de cour en matière de langage, Vaugelas n'est pas moins réticent à l'endroit des nouveautés : tant qu'elles n'ont pas pleinement reçu l'approbation de l'usage, ce ne sont que des «singularités affectées» qui relèvent du «caprice des particuliers». Tout en reconnaissant que les langues vivantes sont sujettes au changement, l'auteur des *Remarques sur la langue française* marque, de manière nuancée mais ferme, sa défiance à l'égard des innovations et sa soumission à l'usage : «[...] la bizarrerie est égale de vouloir faire des mots et des modes, ou de ne les vouloir pas recevoir après l'approbation publique.»

Un même sens de la mesure inspire les remarques sur les expressions à la mode que le père Bouhours expose, en 1671, dans le deuxième de ses *Entretiens d'Ariste et d'Eugène*. Plus favorable que Sorel aux mots et aux locutions que le bel usage a mis en crédit, Bouhours estime que «ces façons de parler qui ont

cours parmi les personnes polies» ont contribué à l'enrichisse-
ment de la langue et, à quelques réserves près, il en loue l'élégance. En revanche, il s'abstient de commenter les expressions
nouvelles «qu'on nomme *précieuses*, et qui ne sont pas tant de
notre langue que de quelques femmes qui, pour se distinguer du
commun, se sont fait un jargon particulier» (Bibliothèque de
Cluny, A. Colin, 1962, p. 64).

C'est la preuve que le goût classique plaçait, entre le *galant* et
le *précieux*, une frontière dont les historiens de la préciosité n'ont
pas toujours clairement perçu la pertinence, au risque d'annexer
abusivement à la préciosité le bel usage mondain de la langue, un
peu comme Somaize, pour gonfler son *Grand Dictionnaire historique des précieuses*, a mentionné toutes les femmes de la bonne
société qui s'étaient peu ou prou distinguées sur la scène du
monde, à Paris ou en province.

FINE GALANTERIE
ET OUTRANCE PRÉCIEUSE

À voir de la préciosité partout, on s'expose à confondre la fine
galanterie, dont on n'a cessé d'apprécier, au XVIIᵉ siècle, les agréments délicats, et les excès ridicules où a pu conduire l'effort de
distinction des précieuses et des beaux esprits. La vraie préciosité,
au sens favorable du terme, est celle qui garde suffisamment le
sens de la discrétion, de l'élégance et du naturel pour n'être que
l'expression accomplie du goût galant. Mais quand la prétention
s'en mêle apparaît la précieuse ridicule, avec ses mines, ses
façons, ses afféteries, sa délicatesse outrée, les bizarreries de son
langage ; elle est associée au bel esprit, qui compromet l'enjouement aimable du galant par la recherche excessive du brillant. Au
lendemain de la Fronde, le développement de la vie mondaine et
son extension aux milieux bourgeois ont contribué à fixer
l'attention sur ces deux formes d'affectation : c'est alors que les
noms de *précieuse* et de *bel esprit* ont été employés avec ironie pour
dénoncer la contrefaçon, féminine et masculine, d'un idéal de
politesse perverti par les excès, les maladresses et les insuffisances
du goût.

La préciosité, comme le bel esprit, n'est donc pas sans rapport
avec la politesse et la galanterie : elle en est le reflet déformé, qui
appelle la raillerie. Aussi doit-on se garder de confondre le lan-

gage à la mode, dont usent sans ridicule les gens de goût, et le langage affecté que les contemporains de Molière ont relevé chez les précieuses : le premier vise à l'élégance, à la vivacité, à la délicatesse ; le second renchérit sur le langage à la mode en lui donnant, comme l'observe Sorel dans *De la connaissance des bons livres*, « un caractère plus pompeux » (éd. citée, p. 367). C'est ce ridicule de l'affectation que fait éclater sur la scène le langage ampoulé que Molière a prêté à Cathos, Magdelon et Mascarille, et dans une moindre mesure à Jodelet.

Mais le comique de la prétention ne prend sa pleine saveur et son sens que si l'on reconnaît, dans ce jargon bizarre, l'imitation emphatique et vicieuse d'un langage élégant dont la société polie savait user avec plus de discernement et de discrétion. Comme le costume de Mascarille, que l'exagération des tendances de la mode transforme en accoutrement grotesque, la langue des deux « pecques provinciales » et du faux marquis est une caricature du bel usage mondain. De cet usage des gens du monde, des observateurs attentifs comme Charles Sorel et le père Bouhours ont noté, à cette époque, les innovations les plus caractéristiques. Ces observations, complétées par les travaux de Ferdinand Brunot et de Roger Lathuillère (voir la Bibliographie), permettent de recenser les expressions qui, dans *Les Précieuses ridicules*, relèvent du langage à la mode et sont perçues, par les contemporains, comme des nouveautés. En elles-mêmes, « ces manières de parler qu'on estime galantes » (Sorel) n'ont rien de spécifiquement précieux ; mais leur accumulation offre un premier indice d'une prétention outrée à l'élégance et à la distinction qui fait basculer la politesse mondaine dans les fausses délicatesses du style maniéré.

LES MOTS À LA MODE

Nota : pour les *Entretiens d'Ariste et d'Eugène* du P. Bouhours, l'abréviation *Entretiens* renvoie à l'édition A. Colin de 1962 ; pour le traité *De la connaissance des bons livres* de Sorel, qui intègre les remarques sur la langue publiées en 1658 dans la seconde édition des *Lois de la galanterie*, l'abréviation *Connaissance* fait référence à l'édition de Lucia Moretti Cenerini, Rome, Bulzoni, 1974.

ADMIRABLE. Magdelon, sc. IX : « je trouve ce *oh, oh !* admirable » ; « c'est un admirable lieu que Paris » ; « un tour admirable dans l'esprit. » — À défaut d'être neuf, l'adjectif est à la mode, comme beaucoup de termes intensifs. Cf. le chevalier Dorante dans *Le Portrait du peintre* de Boursault (1663) : «Admirable, morbleu! du dernier admirable» (Molière, *O. C.*, t. I, p. 1060).

AFFAIRE. Mascarille, sc. IX : «cette méchante affaire.» — Cet emploi étendu d'*affaire*, au sens de «déplaisir, embarras», est perçu comme nouveau par Bouhours (*Entretiens*, p. 62).

AIR. Magdelon, sc. IV : «vous devriez un peu vous faire apprendre le bel air des choses»; Cathos, *ibid.* : «cet air qui donne d'abord bonne opinion des gens»; Mascarille, sc. IX : «Tout ce que je fais a l'air cavalier»; Magdelon, *ibid.* : «Ils ont tout à fait bon air». — Cf. Bouhours : «*Air* est tout à fait du bel usage. [...] Il a l'air noble; il a bon air; [...] un air de politesse» (*Entretiens*, p. 57).

ANTIPODE. Magdelon, sc. IX : «Il faudrait être l'antipode de la raison [...] » — Cet emploi figuré du mot *antipode* a été lancé par Guez de Balzac (voir R. Lathuillère, p. 155). La formule, jugée élégante, s'est établie dans l'usage mondain.

ASSAISONNER. Magdelon, sc. XI : «je veux que l'esprit assaisonne la bravoure». — La métaphore culinaire s'est vite répandue dans l'usage du monde au sens de : «accompagner, relever le goût, donner du piquant.» Elle a pu donner lieu à des emplois bizarres. Dans *Le Portrait du peintre* de Boursault, la singularité de l'expression «le point de Venise assaisonne un visage» est commentée avec humour comme un de ces «jolis détours» qui «assaisonne un discours» (Molière, *O. C.*, t. I, p. 1055).

ATTIRER (S'). Mascarille, sc. IX : «votre réputation vous attire cette méchante affaire.» — *S'attirer de l'estime, des reproches, de méchantes affaires* sont des locutions élégantes selon Bouhours (*Entretiens*, p. 60).

BEL ESPRIT. Magdelon, sc. IV : «C'est sans doute un bel esprit»; sc. IX : «Paris est [...] le centre [...] du bel esprit»; Mascarille, *ibid.* : «quel bel esprit est des vôtres?»; «je ne me lève jamais sans une demi-douzaine de beaux esprits»; Magdelon, *ibid.* : «cent choses [...] qui sont de l'essence d'un bel esprit»; Mascarille, *ibid.* : «une académie de beaux esprits». — *Bel esprit* signifie tantôt la qualité, tantôt celui qui l'incarne. Sorel et Bouhours ont signalé la fortune de l'expression : «il n'y a point de louange qu'on donne plus aisément dans le monde» (*Entretiens*, p. 114).

BRUTAL. La Grange, citant Mascarille, sc. I : «jusqu'à les appelei brutaux ». — Bouhours (*Suite des Remarques nouvelles sur la langue française*, 1692) a noté l'emploi étendu d'un mot qui traduit le mépris des gens du monde pour les conduites inciviles et grossières : « Nous entendons aujourd'hui par *brutal*, selon l'usage présent de la langue, quand nous parlons de quelqu'un : un homme sans égards, qui ne sait pas vivre ; qui ne ménage personne, qui rompt en visière aux gens, qui choque tout le monde par des paroles dures ou par des manières offensantes » (cité par R. Lathuillère, p. 497).

CAR ENFIN. Magdelon, sc. IX : « car enfin il faut avoir la connaissance de tous ces Messieurs-là ». — Sorel, qui reproche aux dames de se servir des mots à la mode sans en considérer la signification, remarque qu'elles disent *car enfin* « dès le commencement de leur discours » (*Connaissance*, p. 358). Mlle de Scudéry a fortement contribué à donner cours à cette expression.

CHOQUANT. Cathos, sc. IV : « je treuve le mariage une chose tout à fait choquante ». — Adjectif d'usage récent (voir F. Brunot, t. IV, 1re partie, p. 464). Clitandre, dans *Les Femmes savantes*, parlera de « passion choquante » (acte I, sc. III, v. 219).

CHOSE(S). Magdelon, sc. IV : « voilà comme les choses se traitent » ; Cathos, *ibid.* : « ma cousine donne dans le vrai de la chose » ; Cathos, sc. IX : « les arbitres souverains des belles choses » ; Magdelon, *ibid.* : « cent choses qu'il faut savoir de nécessité », « si l'on ignore ces choses », « le fin des choses » ; Cathos, *ibid.* : « les choses ne valent que ce qu'on les fait valoir » ; Jodelet, sc. XI : « La guerre est une belle chose » ; Magdelon : « Il tourne les choses ». — Mot vague et commode, ce qui explique sans doute la faveur dont il jouit dans l'usage mondain.

CIVILITÉS. Magdelon, sc. XI : « C'est pousser vos civilités jusqu'aux derniers confins de la flatterie ». — *Civilité*, dans l'usage mondain, a triomphé de *courtoisie* et d'*affabilité*, qui apparaissent démodés.

COMMERCE. Magdelon, sc. IX : « les jolis commerces de prose et de vers ». — Dans la *Suite des Remarques nouvelles sur la langue française* (1692), Bouhours note, au sujet de *commerce*, que « ce mot se dit élégamment dans le figuré, lorsqu'il ne s'agit point de trafic et de négoce ».

CONNAISSEUSE. Magdelon, sc. IX : « pour vous donner bruit de connaisseuse ». — Bouhours range *connaisseur* parmi les « termes assez nouveaux » (*Entretiens*, p. 53). Le féminin est plus rare ; mais Boursault a repris cette forme dans son *Portrait du peintre* en

1663 : « la connaisseuse en tient » (sc. VIII ; Molière, *O. C.*, t. I, p. 1061).

DÉBITER. Magdelon, sc. IV : « Il faut qu'un amant […] sache débiter les beaux sentiments ». — Appliqué au discours, le verbe *débiter* n'a rien de péjoratif et relève du bel usage.

DÉLICAT. Cathos, sc. IV : « une oreille un peu délicate ». — Comme *fin*, *galant*, *aisé*, l'adjectif *délicat* fait partie de ces épithètes à la mode qui traduisent les aspirations d'une société éprise de raffinement. Bouhours, parmi d'autres, a relevé l'usage étendu de ce mot : « un esprit délicat, une raillerie délicate, une pensée délicate » (*Entretiens*, p. 53).

DÉLICATESSE. Magdelon, sc. IX : « j'ai une délicatesse furieuse pour tout ce que je porte ». — Dans *La Manière de bien penser dans les ouvrages d'esprit* (1687), Bouhours souligne la vogue d'un terme difficile à définir avec précision : « On ne parle d'autre chose », dit Philanthe, « et j'en parle à toute heure moi-même sans bien savoir ce que je dis, ni sans en avoir une notion nette » (éd. de 1705, p. 158).

DÉLICIEUSEMENT. Magdelon, sc. IX : « le sublime en est touché délicieusement. »

DERNIER. Magdelon, sc. IV : « du dernier bourgeois » ; sc. IX : « de la dernière obligation », « du dernier beau » ; Cathos, *ibid.* : « dans le dernier galant » ; Magdelon, sc. XI : « jusqu'aux derniers confins de la flatterie ». — Sorel (*Connaissance*, p. 336-337) observe qu'on use diversement du mot *dernier* : soit pour signifier l'extrême bassesse (*un homme de la dernière condition*), soit pour marquer l'extrême importance (*une affaire de la dernière conséquence*).

DIABLEMENT. Mascarille, sc. IX : « je suis diablement fort sur les impromptus ». — L'adverbe s'inscrit dans la liste assez longue des adverbes d'intensité en *-ment* ; mais, par son caractère plus familier, il relève du registre « cavalier ».

DONNER DANS, SUR. Cathos, sc. IV : « ma cousine donne dans le vrai de la chose » ; Magdelon, sc. IX : « donner de notre sérieux dans le doux de votre flatterie » ; Mascarille, *ibid.* : « vouloir donner […] sur tout ce qu'il y a de plus beau » ; La Grange, sc. XV : « donner dans la vue ». — Cf. Bouhours : « *Donner* se dit depuis quelque temps en plusieurs façons fort élégantes. Donner dans le sens de quelqu'un ; donner dans le galimatias, etc. » (*Entretiens*, p. 58).

DOUX (subst.). Magdelon, sc. IV : « pousser le doux, le tendre et le passionné » ; sc. IX : « donner [...] dans le doux de votre flatterie ». — La mode de substantiver les adjectifs prend appui sur un procédé de dérivation qui a introduit dans l'usage des mots comme « le beau », « le bon », « l'utile », « l'agréable », « le merveilleux », etc.

DURER. Cathos, sc. IV : « On n'y dure point ». — Voir *Tenir*.

EFFROYABLE. Magdelon, sc. IX : « un jeûne effroyable de divertissements. »

EFFROYABLEMENT. Cathos, sc. IX : « Effroyablement belles ». — Voir *Furieusement, Terriblement*.

ENJOUÉ. Magdelon, sc. IX : « Ma chère, c'est le caractère enjoué ». — Si les mots *enjouement* et *enjoué* ne sont pas à proprement parler nouveaux, ils ont trouvé dans les romans de Mlle de Scudéry une vie nouvelle (voir Sorel, *Connaissance*, p. 315).

FAIRE + subst. Magdelon, sc. IV : « Et quelle estime, mon père, voulez-vous que nous fassions [...] » ; Mascarille, sc. IX : « faire insulte aux libertés ». — Bouhours a noté les emplois étendus de *faire* : « Il est malaisé de vous dire à combien d'usages on a mis le verbe *faire* » (*Entretiens*, p. 61).

FIN (subst.). Magdelon, sc. IX : « le fin des choses, le grand fin, le fin du fin ». — De l'idée de ruse à celle de délicatesse, le glissement de sens du substantif *finesse* a entraîné une extension des emplois de l'adjectif *fin*, qui s'applique aussi bien au goût, à l'esprit, qu'au sourire ou à la taille ; d'où les usages nouveaux du neutre : le fin de la langue, le fin de l'affaire, etc.

FORCE. Cathos, sc. IX : « de cette force-là ». — Bouhours considère comme des emplois nouveaux des expressions comme « on voit peu d'amis de sa force », « deux discours d'une même force » (*Entretiens*, p. 59). La vogue du mot semble entraîner un glissement de sens vers l'idée de valeur.

FURIEUSEMENT. Cathos, sc. IV : « une oreille [...] pâtit furieusement » ; Magdelon, sc. IX : « je suis furieusement pour les portraits » ; Mascarille, *ibid.* : « La brutalité de la saison a furieusement outragé la délicatesse de ma voix » ; Magdelon, *ibid.* : « furieusement bien. » — Comme le signale en 1658 Charles Sorel dans la deuxième édition de ses *Lois de la galanterie* (texte repris dans *Connaissance*, p. 319), « ce mot de *furieusement* s'emploie aujourd'hui à tout ». L'abus de cet adverbe et de quelques autres de même nature (*terriblement, horriblement, effroyablement*) sera perçu comme un des excès les plus ridicules de la mode précieuse en matière de langage.

FURIEUX. Magdelon, sc. IX : « j'ai une délicatesse furieuse pour tout ce que je porte » ; Cathos, sc. XI : « j'ai un furieux tendre pour les hommes d'épée » ; Mascarille, *ibid* : « Je vais vous montrer une furieuse plaie » ; Cathos, *ibid.* : « il fait une furieuse dépense en esprit. »

GALANT (adj. et subst.). Magdelon, sc. IV : « une question galante » ; sc. IX : « les petites nouvelles galantes » ; « je ne vois rien de si galant que cela » ; Cathos, *ibid.* : « voilà qui est poussé dans le dernier galant » ; « Et du galant, et du bien tourné ».

GALANTERIE. La Grange, sc. I : « Il se pique ordinairement de galanterie » ; Magdelon, sc. IV : « La belle galanterie que la leur », « en bonne galanterie » ; Cathos, *ibid.* : « des gens […] incongrus en galanterie » ; Magdelon, sc. IX : « Paris est […] le centre […] de la galanterie ».

HALEINE (prendre). Magdelon, sc. IV : « Souffrez que nous prenions un peu haleine parmi le beau monde de Paris ». — Cette formule imagée est du style élégant.

IMPRIMER. Mascarille, sc. VII : « imprimer mes souliers en boue ». — Le verbe, au figuré, est en faveur chez Corneille (cf. R. Lathuillère, p. 509). Mascarille lui rend son sens concret.

INCLÉMENCES. Mascarille, sc. VII : « Voudriez-vous, faquins, que j'exposasse l'embonpoint de mes plumes aux inclémences de la saison pluvieuse ». — *Inclémence*, appliqué au temps, a été lancé par Balzac. Bouhours, dans ses *Remarques nouvelles sur la langue française* (1675), signale que le mot « n'est pas si établi qu'*indolence* » (p. 488-489 ; voir R. Lathuillère, p. 510).

INCONGRU. Cathos, sc. IV : « des gens qui sont tout à fait incongrus en galanterie ». — L'*incongruité* n'est plus seulement un barbarisme qui, pour parler comme Philaminte, « offense la grammaire » ; le mot désigne une faute contre les règles de l'art et, plus généralement, contre les exigences de la politesse.

INCONTESTABLE. Cathos, sc. IX : « C'est une vérité incontestable ». — Cf. Sorel : « Pour *insoutenable, incontestable, insurmontable*, il ne faut pas dire seulement que ce sont des mots nouveaux, mais que c'est une nouvelle manière d'en composer ; car on en fait quantité d'autres de cette sorte […] » (*Connaissance*, p. 348).

INEXORABLE. Cathos, sc. IX : « ne soyez pas inexorable à ce fauteuil. »

INSULTE. Mascarille, sc. IX : « de faire insulte aux libertés » ; Magdelon, *ibid.* : « les insultes de la boue ». — Sorel attribue la vogue des emplois figurés d'*insulte* et d'*insulter* à Mlle de Scudéry (*Connaissance*, p. 316).

IRRÉGULIER. Magdelon, sc. IV : « procédé irrégulier » ; Cathos, *ibid.* : « une tête irrégulière en cheveux ». — L'usage étendu de l'adjectif *régulier* (« des civilités régulières », « un ami régulier ») a été noté par Bouhours (*Entretiens*, p. 63). *Irrégulier* trouve aussi des emplois nouveaux.

JOLI. Magdelon, sc. IX : *« les jolis commerces de prose et de vers »*, « la plus jolie pièce du monde ». — Dans ses *Remarques nouvelles sur la langue française* (1675, p. 151), Bouhours observe que *joli* est fort employé par les femmes. Boursault en raillera l'abus dans sa comédie des *Mots à la mode* (1694).

MANIÈRES (les belles). Magdelon, sc. IV : « Voilà comme les choses se traitent dans les belles manières ». — *Faire les choses de la belle manière* est une des expressions à la mode relevées par Sorel (*Connaissance*, p. 317). Bouhours observe que l'on commence à se lasser de cette formule, mais confirme la grande vogue du mot manière « à la cour et dans le beau monde » (*Entretiens*, p. 57).

MERVEILLEUX. Magdelon, sc. IX : « un retranchement merveilleux ». — Adjectif caractéristique du goût mondain pour l'expression hyperbolique du jugement (voir *Admirable*).

MINE. Mascarille, sc. IX : « des yeux qui ont la mine de fort mauvais garçons », « vous avez toute la mine d'avoir fait quelque comédie » ; Cathos, sc. XII : « la mine de danser proprement ». — Sorel s'est moqué de l'abus de ce mot : « Nos éloquents à la mode sont aussi tous gens de mine ; ils ne parlent d'autre chose : ils disent, vous avez bien la mine de faire une telle chose ; ou, j'ai bien la mine de ceci ou de cela » (*Connaissance*, p. 355).

MOURIR. Cathos, sc. IX : « Est-ce qu'on n'en meurt point ? » — Bouhours rapproche cette locution superlative d'une autre formule hyperbolique reçue par l'usage mondain, *enrager* (*Entretiens*, p. 64).

MOYEN (le moyen que, de). Cathos, sc. IV : « Le moyen, mon oncle qu'une fille […] », « Le moyen de bien recevoir des gens […] » — C'est une des formules élégantes que Mlle de Scudéry a contribué à mettre à la mode (voir R. Lathuillère, p. 514).

ON. Cathos, sc. IV : « On n'y dure point, on n'y tient pas » ; Magdelon, sc. XI : « on est instruite de cent choses. » — Bouhours a relevé cette mode de l'indéfini : « *On* se dit à toute heure dans un sens nouveau. Car pour dire "je vous en serai obligé", "je ferai mon devoir" […], nous disons en parlant et en écrivant

familièrement : "on vous en sera obligé ; on fera son devoir"»
(*Entretiens*, p. 53).

PARTICULIER. Magdelon, sc. IX : «nous avons une amie particulière » ; Mascarille, *ibid.* : « C'est mon talent particulier » ; Cathos,
ibid. : « il dit les choses d'une manière particulière ». — Le mot a
pris, dans l'usage mondain, la valeur intensive de « grand, singulier, extraordinaire ».

PASSE (être en). Magdelon, sc. IX : «nous ne sommes pas encore
connues ; mais nous sommes en passe de l'être ». — Sorel,
parmi les expressions à la mode, relève cette « métaphore prise
du jeu de mail ou de celui du billard, où pour gagner il faut
mettre dans la passe » (*Connaissance*, p. 354).

PASSIONNÉ (adj. et subst.) : Magdelon, sc. IV : «pousser le doux, le
tendre et le passionné » ; Cathos, sc. IX : «un air qui est passionné. »

PIQUER (se). La Grange, sc. I : «Il se pique ordinairement de
galanterie et de vers » ; Cathos, sc. IX : «qu'une personne se
pique d'esprit ». — Sorel observe que cette expression est
employée depuis plus de quarante ans, mais qu'elle a rencontré quelques résistances avant de s'établir dans l'usage, avec le
sens de «prétendre avoir une qualité, revendiquer la posses-
sion d'un talent » (*Connaissance*, p. 359-360).

POUSSER. Magdelon, sc. IV : « pousser le doux » ; Cathos, sc. IX :
« voilà qui est poussé dans le dernier galant » ; Magdelon,
sc. XI : « pousser vos civilités ». — *Pousser*, dans la langue mondaine, a tantôt le sens d'« exprimer », tantôt celui de «conduire
activement, porter, poursuivre, outrer». *Pousser les beaux sentiments* est une expression à la mode au début des années cinquante. Arnolphe, dans *L'École des femmes*, s'en prend aux
«pousseuses de tendresse et de beaux sentiments» (acte I,
sc. III, v. 246). *Pousser une affaire, une personne, une raillerie*, sont
des emplois dérivés de l'escrime (cf. pousser une pointe) : ces
emplois, selon Bouhours, sont nouveaux (*Entretiens*, p. 58).

SÉCHERESSE. Cathos, sc. IV : « quelle sécheresse de conversation ». —
Comme l'*inclémence du temps* ou l'*antipode du bon sens*, cette expression imagée trouve son origine chez Balzac (voir R. Lathuillère,
p. 373). Elle renouvelle, par l'utilisation du substantif, une locution plus courante, un «sec entretien» (voir *Le Misanthrope*,
acte II, sc. IV, v. 604).

SÉRIEUX (subst.). Magdelon, sc. IX : «donner de notre sérieux
dans le doux de votre flatterie ». — Bouhours signale que les

emplois substantifs de *sérieux* et de *ridicule* ne sont pas très anciens (*Entretiens*, p. 54).

SOUTENIR. Magdelon, sc. VI : « soutenons notre réputation ». — Bouhours a noté l'extension du mot : « *Soutenir* n'a pas toujours eu une signification aussi ample que celle qu'il a. On dit fort aujourd'hui [...] *soutenir* son caractère, son personnage [...] » (*Entretiens*, p. 56).

TALENT. Mascarille, sc. IX : « C'est mon talent particulier ». Sorel, qui rappelle l'origine biblique du mot *talent*, observe la nouveauté de l'emploi moderne (*Connaissance*, p. 353-354).

TAPIS (mettre sur le). Magdelon, sc. IV : « mettre sur le tapis une question galante ». — Façon de parler reçue, selon Sorel (*Connaissance*, p. 337), mais un peu basse.

TENDRE (subst.). Magdelon, sc. IV : « pousser [...] le tendre » ; Cathos, sc. XI : « j'ai un furieux tendre ». — Dans ses *Lois de la galanterie* (2ᵉ éd., 1658), Sorel retient, parmi les formules à la mode, l'expression : « il y a du tendre, ou de la tendresse en quelque chose. » La *Carte du royaume de Tendre* de Mlle de Scudéry a contribué à la vogue de l'adjectif substantivé *tendre*.

TENIR (on n'y peut tenir). Cathos, sc. IV : « on n'y tient pas ». — Cette expression à la mode se retrouvera dans la bouche de Philaminte : « Ah ! peut-on y tenir ? » (*Les Femmes savantes*, acte II, sc. VI, v. 487).

TERRIBLEMENT. Cathos, sc. IX : « j'aime terriblement les énigmes » ; Magdelon, *ibid.* : « Ils sentent terriblement bon ». — Voir *Diablement, Effroyablement, Furieusement.*

TOUR, TOURNÉ, TOURNER. Magdelon, sc. IX : « Les madrigaux sont agréables, quand ils sont bien tournés », « cela a un tour spirituel et galant », « Il a un tour admirable dans l'esprit » ; sc. XI : « Il tourne les choses le plus agréablement du monde », « Et du galant, et du bien tourné ». — Bouhours souligne la nouveauté de ces emplois : « *Tourner* et *tour* étaient inconnus, il y a quelques années, dans la signification qu'ils ont maintenant » (*Entretiens*, p. 54). Sorel précise l'origine de la figure : « c'est une métaphore prise de ceux qui tournent le bois, l'ébène et l'ivoire » (*Connaissance*, p. 336), et il attribue aux romans de Mlle de Scudéry la vogue d'expressions comme « donner un certain tour aux choses » et « avoir l'esprit bien tourné » (*ibid.*, p. 316).

VISION. Magdelon, sc. IV : « et j'ai mal au cœur de la seule vision que cela me fait ». — « Ce mot est élégant dans le figuré », écrit Bouhours (*Remarques nouvelles sur la langue française*, 1675 ; cité par R. Lathuillère, p. 523). Dans la bouche de Magdelon, *vision* est une forme intensive de « pensée, idée ».

VRAI (subst.). Cathos, sc. IV : « ma cousine donne dans le vrai de la chose ». — *Être dans le vrai, à dire le vrai, démêler le vrai du faux* s'établissent dans l'usage du monde. *Dans le vrai de la chose*, repris par Climène dans *La Critique de l'École des femmes* (sc. III), apparaît plus spécifique au langage précieux.

Ce répertoire des mots à la mode s'enrichit, chez Mascarille, de quelques clichés de la poésie galante (« franchises », « libertés »), de locutions empreintes d'une désinvolture toute cavalière (« posté », « faire pic, repic et capot », « traiter de Turc à More », « je m'en escrime », « Tudieu », « comment diable », « pendre l'épée au croc ») et de ces termes méprisants (« marauds », « faquins », « coquin », « canailles ») qui font sentir aux porteurs la supériorité de l'homme de condition, et que l'on retrouvera du reste, sans nulle feinte cette fois, dans la bouche des maîtres. L'inventaire doit être complété par plusieurs traits caractéristiques du bel usage : l'emploi de l'imparfait du subjonctif qui signale chez Mascarille, dès son entrée en scène, la prétention au bel air ; la suppression de l'article (« imprimer mes souliers en boue », sc. IX ; « ce sont fruits des veilles de la Cour », sc. XI), trait d'élégance relevé par Sorel en 1658 à propos de l'expression « il a esprit », substituée à « il a de l'esprit » dans le langage des courtisans ; le goût du style exclamatif, qui vise à refléter la vivacité des sentiments (« Ah ! mon père », « Mon Dieu », « Ah ! ma chère », etc.) ; une prédilection marquée pour les locutions superlatives, qui éloignent résolument du médiocre (« toutes les apparences du monde », sc. V ; « toutes les hontes du monde », « de plus de deux mille lieues », « rien de mieux », « Perdrigeon tout pur », sc. IX ; « de toute la dévotion de mon cœur », sc. XI) ; et un goût non moins affiché pour les formules d'atténuation, qui allient la délicatesse à l'intensité (« un peu », employé cinq fois, apparaît presque banal au regard de la litote utilisée par Magdelon, dans la scène IX, pour qualifier un goût « pas tout à fait mauvais »).

Il n'est pas un de ces mots ou de ces traits de langue qui n'appartienne à l'usage élégant. S'ils rendent, sur la scène, un son ridicule, c'est avant tout parce qu'ils ont cessé d'être le langage de la distinction authentique pour révéler la maladresse et la sottise de personnages incapables de soutenir leurs prétentions. Du bel usage ne subsiste plus, dans la « salle basse » de la maison bourgeoise de Gorgibus, qu'une contrefaçon grotesque, expression superlative de l'artifice, qui dégrade le langage à la mode en idiome comique.

DU « HAUT STYLE » AU « BARAGOUIN »

Dans le rôle du marquis bel esprit ou de la «façonnière», Mascarille, Cathos et Magdelon accentuent, par un jeu théâtral appuyé, le comique des modèles qu'ils s'appliquent à singer. Autant que le langage, les intonations, les mimiques, les gestes et les poses contribuent à mettre en lumière, sur la scène, les artifices de la comédie du paraître. Ce ridicule de l'affectation s'enrichit d'effets bouffons qui révèlent l'écart entre la personne et le rôle. À la différence des précieuses ou des marquis ridicules de *La Critique* et de *L'Impromptu*, qui font preuve d'une certaine forme de naturel dans l'artifice, la médiocrité des personnages de la farce transparaît sous le simulacre, et il suffit que Magdelon avance pour preuve de sa délicatesse la qualité de ses «chaussettes» (sc. IX) ou que Mascarille associe au thème galant des «libertés» menacées par l'amour une locution aussi triviale que «sortir d'ici les braies nettes» pour que le burlesque de ces ruptures de style fasse ressortir, sous le masque de la prétention, la platitude bourgeoise ou la vulgarité du valet.

De manière plus constante, le langage d'emprunt des prétendants au bel air rencontre le comique de l'exagération et de la maladresse. Dans un entretien qui prend des airs de compétition, où chacun fait parade de bel esprit et se pique de délicatesse, les formules à la mode se transforment en leitmotive insistants. L'abus des superlatifs, l'inflation des «ma chère», la multiplication des exclamations, la mise en vedette des termes intensifs, un goût immodéré de l'adjectif substantivé, du style substantif et de la métaphore, portent au paroxysme la prétention à l'élégance et conduisent de la surcharge à l'absurde quand ces figures intempestives blessent l'usage et la raison.

Au regard de Magdelon, cent lieues sont une mesure trop commune pour apprécier la distance qui sépare Mascarille du pédantisme : «plus de deux mille lieues» suffisent à peine à son admiration (sc. IX). Aux intensifs à la mode, les deux précieuses donnent une application hardie quand, à peine l'une a-t-elle estimé que les plumes de Mascarille sont «effroyablement belles», l'autre avoue sa « délicatesse furieuse » pour tout ce qu'elle porte (*ibid.*). Mais c'est surtout dans le domaine de l'image que la recherche de l'expression originale expose aux inventions les plus risquées. Si Cathos se bornait à parler d'une « jambe tout unie », comme on le dit d'un simple rabat, ou de l'« intelligence épaisse » de Gorgibus, elle userait sans ridicule des ressources expressives de la métaphore, et l'humour pourrait même autoriser l'image plaisante du fauteuil qui « tend les bras » : mais dire d'un chapeau dépourvu de parure qu'il est « désarmé de plumes », prétendre d'un homme grossier « qu'il fait sombre dans son âme » ou prêter à un fauteuil l'envie d'embrasser quelqu'un, c'est pousser le style figuré au-delà du bon sens. La recherche du trait d'esprit peut conduire Mascarille et Jodelet à filer la métaphore jusqu'au grotesque, le premier avec son cœur « écorché depuis la tête jusqu'aux pieds » (sc. IX), le second avec sa « veine poétique » incommodée par des « saignées » trop fréquentes (sc. XI). Ces bouffonneries de turlupins, qui voudraient passer pour de brillantes boutades, relèvent de la pitrerie. En revanche, c'est avec le plus grand sérieux que Cathos et Magdelon s'ingénient à raffiner sur le bel usage pour faire montre de délicatesse et d'esprit, au point de verser du haut style dans le galimatias. Emplois transposés (« tête irrégulière », « gens incongrus en galanterie », « frugalité d'ajustement », « un jeûne de divertissement », « la réflexion de votre odorat ») ; personnifications (« un habit qui souffre une indigence de rubans », « votre complaisance pousse un peu trop avant la libéralité de ses louanges ») ; périphrases et métaphores (« un nécessaire », « le conseiller des grâces », « les commodités de la conversation », « le sublime », « les âmes des pieds ») : c'est par de telles figures que le langage des précieuses, sur la scène, se transforme en jargon ridicule et porte le comique verbal à son paroxysme.

UNE FICTION RÉVÉLATRICE

Entre ce langage de théâtre et la langue parlée dans les ruelles, la distance est grande, pas au point toutefois de masquer sous la fantaisie du jeu comique quelques traits caractéristiques d'une mode langagière dont les contemporains avaient perçu les excès. Très tôt, on a imputé aux précieuses, entre autres formes d'affectation, un langage maniéré confinant au jargon. Le mot apparaît dès avril 1654 dans une lettre du chevalier Renaud de Sévigné à la duchesse de Savoie. C'est un trait que Mlle de Montpensier ne manque pas de signaler dans le portrait satirique des précieuses qu'elle insère dans le recueil des *Divers portraits* de 1659 : « Elles ont quasi une langue particulière, car à moins que de les pratiquer, on ne les entend pas » (voir Micheline Cuénin, éd. citée, p. 82). Scarron, dans son *Épître chagrine à Monseigneur le maréchal d'Albret*, parlera lui aussi de jargon, et longtemps après Molière et Somaize, la satire de la préciosité continuera de dénoncer la bizarrerie d'un langage artificiel et ampoulé, l'« idiome précieux », selon l'expression employée en 1663 par Charles Robinet dans son *Panégyrique de l'École des femmes* (Molière, *O. C.*, t. I, p. 1071).

Que « la recherche des bons mots et des expressions extraordinaires » (de Pure) ait conduit celles que l'on appelle ironiquement des « précieuses » à user, au-delà de toute mesure, de quelques mots choisis (« furieusement » est de ceux-là) ou à risquer quelques expressions singulières, tous les témoignages anciens le confirment. On en trouvera des exemples nombreux dans le roman de l'abbé de Pure, *La Précieuse ou le Mystère des ruelles*, où l'auteur a livré avec ironie un écho relativement fidèle des propos échangés dans les belles assemblées qu'il fréquentait. Plus soucieux de gaieté que d'exactitude, Molière a concentré et accentué les ridicules du snobisme pour donner à la charge théâtrale un intense pouvoir comique. Mais l'optique de la scène, qui fait jaillir le rire de la parodie, jette une lumière plus vive sur les dérives où peut conduire une prétention excessive et mal fondée à la distinction.

Autant qu'à l'efficacité du comique, la réussite de la caricature se mesure à son pouvoir de révélation. Si le langage affecté que Molière a prêté à ses précieuses et à ses faux gentilshommes est mieux qu'une invention burlesque, c'est d'abord parce que ce langage de déguisement ne cesse de dévoiler la discordance entre les hautes ambitions des personnages et leurs piètres capacités. Appliquée à des fadaises, la rhétorique admirative fait éclater le manque de discernement, comme l'utilisation hasardeuse de quelques mots savants (la « forme » et la « matière », l'« essence », la « chromatique ») décèle le pédantisme. Instrument du paraître et du désir de se faire valoir, le langage n'est plus qu'un masque de comédie qui ne saurait faire illusion quand l'affectation de délicatesse est contredite par la platitude du goût, la prétention au savoir par la sottise du jugement et la recherche du brillant par la lourdeur de l'effet.

En prenant pour cibles des «pecques provinciales» et des valets déguisés, Molière a centré le procès comique de l'affectation sur des figures ridicules que la farce pouvait railler en toute liberté. Mais la langue de Cathos, de Magdelon et de Mascarille entretenait des rapports suffisamment étroits avec le langage des ruelles pour que le public fût à même de tirer les leçons de la parodie. Le père Bouhours nous aide à en comprendre la portée quand, douze ans après la comédie de Molière, il continue de faire référence à l'affectation précieuse pour rappeler combien la véritable politesse se distingue du style maniéré : «Pour plaire [...], il ne faut point avoir trop envie de plaire; et pour parler bien français, il ne faut point vouloir trop bien parler» (*Entretiens*, p. 37). Ce sont bien ces valeurs éminemment classiques de naturel, de sobriété et de mesure qui fondent, chez Molière, le ridicule des précieuses et des beaux esprits.

RÉSUMÉ

Deux jeunes gentilshommes, La Grange et Du Croisy, sortent de la maison de Gorgibus, mal satisfaits de l'accueil méprisant que leur ont fait, lors de leur visite, deux jeunes filles qu'ils recherchaient en mariage. Pour punir ces deux précieuses de leur « impertinence », La Grange imagine de leur jouer un tour dont son valet Mascarille, domestique extravagant qui se pique de noblesse et de galanterie, sera l'instrument (sc. I). Les deux prétendants éconduits prennent froidement congé de Gorgibus (sc. II), lequel fait appeler sa fille et sa nièce, occupées à préparer des fards (sc. III), pour leur demander des éclaircissements. Dans les protestations de Magdelon et de Cathos, qui ont fait de la belle galanterie romanesque un code intangible, Gorgibus ne veut voir que « balivernes » (sc. IV). Cette grossièreté conduit les précieuses à rêver entre elles d'une origine plus illustre (sc. V), quand la servante Marotte annonce un visiteur de qualité, le marquis de Mascarille (sc. VI). Alors que les deux jeunes filles sont allées ajuster leur coiffure, Mascarille fait une entrée en scène fracassante en pénétrant avec sa chaise à porteurs jusqu'à l'intérieur de la maison, et il donne une première illustration de ses prétentions au bel air dans l'altercation que soulève le règlement de la course (sc. VII). Les précieuses ne se font guère attendre (sc. VIII) et, ravies de cette visite flatteuse, elles s'appliquent à tenir avec honneur leur rôle dans une conversation qui se plie aux exigences du rituel mondain : échange de compliments, boutades galantes, échos de l'actualité littéraire, présentation et commentaire d'un poème de nouvelle fabrique et de sa version chantée, propos sur le théâtre, remarques sur la mode (sc. IX). L'arrivée du vicomte de Jodelet (sc. XI) donne à la conversation un tour plus gaillard. Sur la proposition de Mascarille, un bal est improvisé, auquel sont invitées quelques voisines (sc. XII). Mais la fête est brusquement interrompue par La Grange et Du Croisy qui surviennent, batte à la main, pour rosser les valets (sc. XIII), à la surprise des précieuses (sc. XIV). Les maîtres achèvent de dissiper l'illusion en revenant sur la scène, accompagnés de quelques hommes de main qui dépouillent les valets de leur habit d'emprunt (sc. XV). Gorgibus, qui enrage d'avoir à essuyer cet affront (sc. XVI), rudoie les violons qui réclamaient leur dû, ordonne à sa fille et à sa nièce d'aller se cacher à jamais et, seul en scène, maudit la littérature galante, «cause de leur folie» (sc. XVII).

LES PRÉCIEUSES RIDICULES

DOSSIER

DU MÊME AUTEUR

Dans la collection Folio théâtre

L'AVARE. *Édition présentée et établie par Jacques Chupeau.*

LE BOURGEOIS GENTILHOMME. *Édition présentée et établie par Jean Serroy.*

Dans la collection Folio classique

Éditions collectives

AMPHITRYON, GEORGE DANDIN, L'AVARE. *Édition présentée et établie par Georges Couton.*

LE BOURGEOIS GENTILHOMME, LES FEMMES SAVANTES, LE MALADE IMAGINAIRE. *Édition présentée et établie par Georges Couton.*

L'ÉCOLE DES MARIS, L'ÉCOLE DES FEMMES, LA CRITIQUE DE L'ÉCOLE DES FEMMES, L'IMPROMPTU DE VERSAILLES. *Édition présentée et établie par Jean Serroy.*

LES FOURBERIES DE SCAPIN, précédé de L'AMOUR MÉDECIN, LE MÉDECIN MALGRÉ LUI, MONSIEUR DE POURCEAUGNAC. *Édition présentée et établie par Georges Couton.*

LE TARTUFFE, DOM JUAN, LE MISANTHROPE. *Édition présentée et établie par Georges Couton.*

Éditions isolées

L'AVARE. *Édition présentée et établie par Georges Couton.*

LE BOURGEOIS GENTILHOMME. *Édition présentée et établie par Georges Couton.*

COLLECTION FOLIO THÉÂTRE

1. Pierre CORNEILLE : *Le Cid.* Édition présentée et établie par Jean Serroy.

2. Jules ROMAINS : *Knock.* Édition présentée et établie par Annie Angremy.

3. MOLIÈRE : *L'Avare.* Édition présentée et établie par Jacques Chupeau.

4. Eugène IONESCO : *La Cantatrice chauve.* Édition présentée et établie par Emmanuel Jacquart.

5. Nathalie SARRAUTE : *Le Silence.* Édition présentée et établie par Arnaud Rykner.

6. Albert CAMUS : *Caligula.* Édition présentée et établie par Pierre-Louis Rey.

7. Paul CLAUDEL : *L'Annonce faite à Marie.* Édition présentée et établie par Michel Autrand.

8. William SHAKESPEARE : *Le Roi Lear.* Édition de Gisèle Venet. Traduction nouvelle de Jean-Michel Déprats.

9. MARIVAUX : *Le Jeu de l'amour et du hasard.* Préface de Catherine Naugrette-Christophe. Édition de Jean-Paul Sermain.

10. Pierre CORNEILLE : *Cinna.* Édition présentée et établie par Georges Forestier.

11. Eugène IONESCO : *La Leçon.* Édition présentée et établie par Emmanuel Jacquart.

12. Alfred de MUSSET : *On ne badine pas avec l'amour.* Édition présentée et établie par Simon Jeune.

13. Jean RACINE : *Andromaque.* Préface de Raymond Picard. Édition de Jean-Pierre Collinet.

14. Jean COCTEAU : *Les Parents terribles.* Édition présentée et établie par Jean Touzot.

Impression Bussière Camedan Imprimeries
à Saint-Amand (Cher), le 10 décembre 2001.
Dépôt légal : décembre 2001.
1ᵉʳ dépôt légal dans la collection : janvier 1998.
Numéro d'imprimeur : 015640/1.
ISBN 2-07-040084-8./Imprimé en France.